S0-BYJ-283

Collection
Mille ans de Contes

DANS LA MÊME COLLECTION

Contes traditionnels des Pyrénées de Michel Cosem

Contes nouveaux des Pyrénées de Michel-Aimé Baudouy

Contes traditionnels de Gascogne de Michel Cosem

Contes traditionnels d'Ile-de-France de Bertrand Solet

Contes traditionnels de Provence de Claude Clément

Contes traditionnels d'Auvergne de Bertrand Solet

Contes traditionnels de Lorraine de Françoise Rachmuhl

Évelyne Brisou-Pellen

Contes traditionnels de Bretagne

Illustration de couverture : Jean-Claude Pertuzé

Illustrations intérieures : Sourine

MILAN

Paul Sébillot, Adolphe Orain, F.M. Luzel, Émile Souvestre, Anatole Le Braz et bien d'autres ont recueilli au siècle dernier de nombreux récits, de la bouche même des conteurs bretons. C'est en grande partie grâce à eux que cette tradition est venue jusqu'à nous. Vous trouverez ici certains de ces contes. Ils ont été réécrits par Évelyne Brisou-Pellen, car c'est le propre de chaque conteur de dire à sa façon.

Souvent, venant de très ancienne tradition, certains récits se recoupent ou utilisent les mêmes thèmes, ou racontent les mêmes événements un peu différemment. On a choisi ici les plus caractéristiques, en éliminant ce qui s'est visiblement rajouté au conte initial au fil des temps, parfois par emprunt à d'autres contes, parfois pour introduire à toute force une morale religieuse dans un récit qui n'en avait pas.

Les Korils et les deux bossus

La nuit, en Bretagne, il est difficile de sortir sans rencontrer ces curieux personnages que sont les Korrigans. Amis ou ennemis, ils inquiètent. On raconte bien des choses à leur sujet. Ainsi, il semblerait qu'à Plaudren, dans les landes désertes...

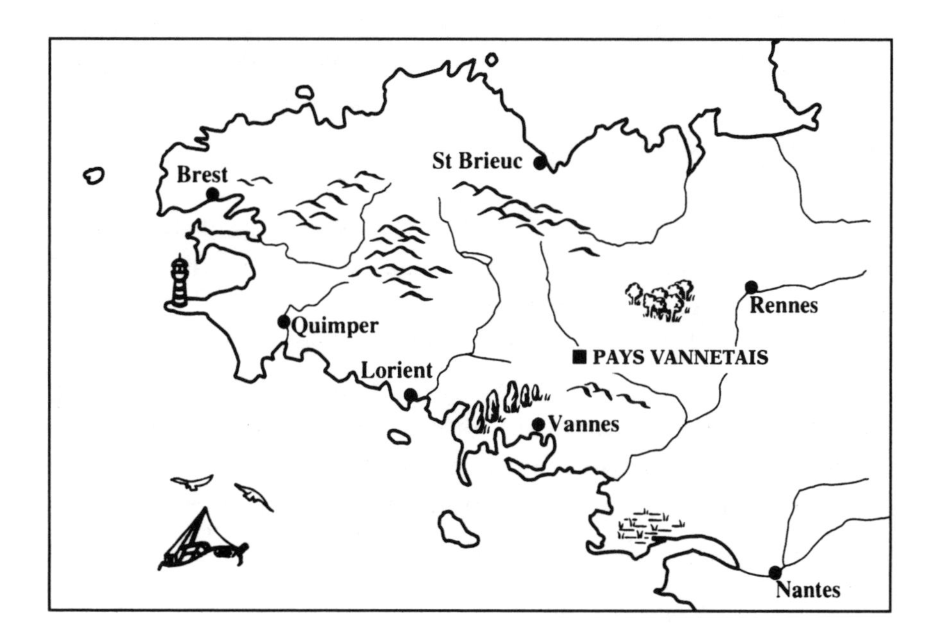

LES KORILS

Le vent soufflait sur la lande. Rien ne l'arrêtait jamais. Si on rentrait trop tard des champs, on risquait de se faire surprendre par des bandes de Korrigans.

Il ne faut pas croire que les Korrigans soient partout les mêmes. Dans les bois, on peut se trouver nez à nez avec les Kornikaneds, ainsi nommés parce qu'ils ont pour habitude de souffler dans des cornes qu'ils portent à la ceinture. Dans les marécages et les lieux bas vivent les Poulpikans. Mais les Korils, eux, ont leur village principal dans les landes de Motenn-Dervenn...

Banéad commençait à regretter d'avoir choisi de traverser la lande pour revenir au village. A pareille heure, cela pouvait être au péril de sa vie.

Il tenta de déceler tous les bruits qui pourraient l'alerter, mais le vent l'empêchait d'entendre. Il savait que, par contre, les Korils avaient de bonnes oreilles, et que le battement des sabots sur le chemin ne leur échapperait pas.

Banéad se déchaussa vivement et continua pieds nus. Le froid de la nuit le glaçait. Il fallait se dépêcher.

Il s'arrêta soudain. Dans le lointain, on entendait comme une musique, des voix. Il faillit rebrousser chemin, mais dans le noir de la nuit, il aurait beaucoup de mal à retrouver sa route. Par contre, tout droit, il connaissait si bien le sentier qu'il n'avait pas besoin de lumière.

Le cœur battant, il choisit finalement de continuer, mais en prenant soin de soulever sa fourche de son épaule, et de la brandir bien en évidence devant lui : les Korils, à ce qu'on disait, détestaient les fourches et ne s'en approchaient jamais.

Les voix lui arrivaient maintenant de plus en plus distinctement. Si c'étaient bien les Korils qui commençaient à danser sur la lande, il n'y avait plus qu'à prier que la fourche soit une bonne défense. Sinon, Banéad serait entraîné dans la ronde infernale, et il en mourrait, il le savait.

Non, c'était trop dangereux, il fallait s'en retourner...

Mais voilà que la chanson parvenait de plus en plus clairement aux oreilles de Banéad. Il se rendit compte qu'il ne pouvait plus changer de route, qu'il n'avait plus assez de volonté pour revenir sur ses pas. La chanson l'attirait, il allait droit vers elle, impossible de s'en empêcher.

– *Lundi, mardi, mercredi,* disaient les voix.

Banéad s'approchait. Il voulait s'enfuir, il avançait toujours. Il voulait se boucher les oreilles, il ne pouvait pas. Il entendait cette chanson, toujours la même chanson.

– *Lundi, mardi, mercredi.*

Banéad s'arrêta près d'un rocher : là, devant ses yeux effarés, les Korils tournaient en se tenant par la main, sans s'occuper du tout de lui.

Comme, au bout d'un moment, personne n'avait encore regardé de son côté, Banéad se rassura, puis il se prit à fre-

donner dans sa tête la chanson des Korils, tandis que ceux-ci, tournant inlassablement, répétaient :

– *Lundi, mardi, mercredi.*

C'est un peu court ! se dit Banéad.

Et, sans même s'en rendre compte, voilà qu'il se mit à chanter à la suite :

– *Jeudi, vendredi, samedi.*

Les Korils s'arrêtèrent tout net.

– Il sait continuer la chanson ! s'écrièrent-ils. Il sait !

Ils entourèrent Banéad qui se mit à trembler de tous ses membres, et à regretter sincèrement d'être là.

Au bout d'un moment, il remarqua que personne ne le touchait, à cause sans doute de la fourche qu'il tenait à la main, et il comprit enfin ce qu'on lui demandait :

– Apprends-nous, apprends-nous la suite de la chanson.

Très étonné et effrayé, Banéad hésita. Devait-il s'enfuir ? Rester ?

Machinalement, il répéta :

– *Jeudi, vendredi, samedi.*

Et il recula pour tenter de se mettre à l'abri.

Mais les Korils ne semblaient pas agressifs, ils avaient au contraire l'air tout à fait ravi :

– Ah ! Depuis si longtemps que nous attendions que quelqu'un nous dise la suite.

– Il mérite une récompense !

– Il mérite une récompense !

– Quelle récompense ? demanda Banéad avec un peu de crainte.

– Ce que tu voudras qui soit en notre pouvoir : nous te proposons de choisir entre richesse et beauté ?

Banéad demeura songeur. Un peu d'argent ne lui ferait

pas de mal, car sa bourse était souvent plate, mais peut-être y avait-il plus important que l'argent : depuis sa naissance, il portait une bosse dans le dos, qui le gênait bien.

– Serait-il possible, demanda-t-il timidement, que je devienne bien droit ?

– Tu veux qu'on t'enlève ta bosse ? Tu es sûr de ne pas préférer la richesse ?

– Je ne choisis pas la richesse, confirma Banéad.

– Bien, pose ta fourche et viens avec nous, alors.

Banéad se sentit soudain inquiet : se séparer de sa fourche ? Ne serait-ce pas une erreur impardonnable ?

Qu'ai-je à perdre, se dit-il, *jamais plus pareille occasion ne se représentera, et que vaut ma vie ?*

D'un geste décidé, il posa sa fourche et saisit les mains qu'on lui tendait. Aussitôt, il se trouva entraîné dans une danse folle, qui tournait, qui tournait si vite que ses pieds n'arrivaient même plus à toucher terre.

Quand la ronde s'arrêta enfin, il n'y voyait plus clair et ne savait plus où il était. La tête bourdonnante, il se redressa, se redressa...

Il avait grandi, il n'avait plus sa bosse qui lui courbait le dos ! Banéad se mit à rire de bonheur. Jamais de sa vie il ne s'était senti si bien. Il voulut remercier les Korils, mais quand il se retourna, ils avaient disparu.

Le temps avait passé si vite, que lorsque Banéad rentra chez lui à Locqueltas, il faisait presque jour. Il aperçut sur le chemin son voisin Perr. Un moment, il eut envie de l'éviter, car il ne l'aimait pas beaucoup, mais il était ce matin si heureux qu'il était prêt à parler avec n'importe qui, même avec Perr.

Tout comme l'avait été Banéad, Perr était bossu, mais

leur ressemblance s'arrêtait là : on connaissait Banéad pour sa gaieté et son amabilité, et Perr pour son avarice et son mauvais caractère. On disait partout qu'il passait son temps à compter son argent. Il prêtait aux plus pauvres, mais c'était pour leur prendre tant d'intérêts qu'ils n'avaient jamais fini de régler leurs dettes.

Perr le bossu ne disait jamais bonjour à personne, mais là, quand il vit le visage de l'homme qui arrivait sur le chemin, il s'arrêta, suffoqué.

– Tu ressembles bien à Banéad, toi. Serais-tu son frère ?

– Je suis Banéad.

– Ah tiens ! s'exclama le bossu avec méfiance, et je vais te croire, peut-être ?

– Crois-moi ou non, cela m'est bien égal.

Perr fit une grimace, et ricana :

– Alors, tu peux me dire comment je m'appelle, sans doute.

– Evidemment, tu es Perr.

L'autre le regarda d'un air étonné.

– Il y a tromperie, se fâcha-t-il. Comment aurais-tu perdu ta bosse ?

– Je me suis endormi dans la lande, et voilà, je me suis réveillé tout droit.

Perr jeta à Banéad un regard par en dessous, et ne répondit rien.

Perr était grincheux et avare, mais point sot. Il tourna dans sa tête la réponse de l'ancien bossu et se dit que sûrement, il avait menti.

Il retourna sur ses pas et frappa à la porte de Banéad :

– Te rappelles-tu, lui dit-il, que tu me dois cinq écus ?

– Il était convenu que je te les rembourserais après la récolte.

– J'en ai besoin tout de suite.

– Tu ne peux pas faire ça, Perr ! s'exclama Banéad. Je ne les ai pas pour l'instant.

– Ah Ah ! dit Perr. Tu n'as qu'à vendre ta vache.

– Non ! Pas ma vache ! Je t'en prie, Perr, sois raisonnable !

– Raisonnable... Idiot, tu veux dire. Enfin, il y a peut-être un moyen de s'arranger.

– Quel moyen ?

– Si tu me disais, par exemple, ce qui t'est vraiment arrivé la nuit dernière...

Banéad réfléchit :

– Si je te le dis, tu me remets ma dette ?

– Je te la remets.

– Juré ?

– Juré.

– Eh bien, voilà...

Et Banéad se mit à raconter tout, exactement comme c'était arrivé.

... Et il a choisi la beauté ! se moquait Perr en rentrant chez lui. Faut-il être sot ! Mais faut-il être sot !

Tout en marchant, il se frottait les mains de contentement.

La nuit suivante, Perr prit grand soin de se munir d'une fourche, et s'engagea sur le chemin de la lande. Le vent avait cessé, mais il tombait une petite pluie fine et désagréable. Perr n'y pensait pas, il espérait seulement que les Korils seraient au rendez-vous.

Il arriva trop tôt et attendit, caché à l'ombre d'un buisson. Enfin, sortant de partout, les étranges petits êtres se

rassemblèrent sur la lande et, se prenant par la main, ils commencèrent à chanter :

– *Lundi, mardi, mercredi*
Jeudi, vendredi, samedi.

Perr resta suffoqué : il ne pouvait pas dire la deuxième partie de la chanson, les choses ne se passaient pas exactement comme pour Banéad. Les Korils avaient vraiment appris la suite.

Eh bien, se dit-il ! *Heureusement que personne n'est passé avant moi, car il ne reste plus grand choix !*

Et comme les danseurs reprenaient :

– *Lundi, mardi, mercredi*
Jeudi, vendredi, samedi,

il ajouta bien fort :

– *Et dimanche.*

– Il a trouvé, s'écrièrent les Korils. Il sait la fin de la chanson.

– Il mérite une récompense !

– Il mérite une récompense !

– Quelle récompense ? demanda Perr en se rappelant bien tout ce que Banéad avait dit.

– Ce que tu veux.

– Hier, reprit aussitôt Perr, vous avez proposé à Banéad la richesse ou la beauté. Moi, je prendrai ce qu'il a laissé.

Les Korils aussitôt l'attrapèrent par la main et l'entraînèrent dans leur ronde.

Quand, après leur folle danse, les Korils le lâchèrent, Perr avait deux bosses.

Le voyage à Paris

On dit que les habitants de Saint-Jacut sont les plus bêtes... mais bien sûr, ceux qui disent cela, ce sont leurs voisins. Et entre voisins, on aime bien se moquer, quitte à inventer les histoires les plus saugrenues.
Voici ce que racontent les gens de Dinan.

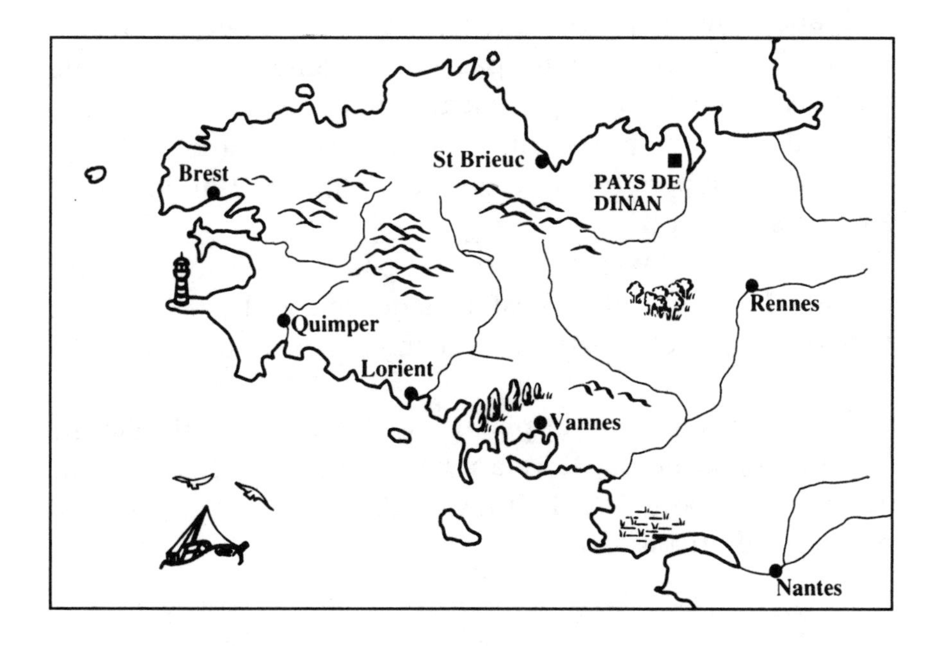

Cette histoire remonte à très longtemps, car elle se passe alors que Henri IV était roi de France.

À ce qu'on prétend, nos habitants de Saint-Jacut s'étaient mis dans l'idée de se rendre à Paris, pour offrir au roi leur plus belle pêche. Cela partait d'un bon sentiment, mais n'était pas bien facile à réaliser.

D'abord, il fallait pêcher le poisson, puis il fallait le transporter. Le pêcher, ce ne fut pas trop difficile, le plus difficile étant de s'en tenir à ce qu'on avait dit, et de résister à la tentation d'aller vendre les plus belles prises au marché.

En effet, le plus souvent, quand on attrapait un joli poisson, on se disait :

– Oh ! Il n'est pas très gros, ou pas très luisant, son œil ne paraît pas très vif, il n'est sans doute pas digne d'un roi. Vendons-le plutôt et attendons d'en pêcher un plus beau...

Enfin, un jour que la pêche avait été particulièrement fructueuse, on ne put faire autrement que de décider enfin de la garder pour le roi. Il n'y avait plus qu'à résoudre le problème du transport.

On pensa d'abord aller à pied, chacun portant sur son dos un grand panier, mais ce serait fatigant. On songea alors à plus pratique : on attela l'âne le plus fort à la plus grosse charrette, et puis on perça un trou dans le milieu de la charrette, et on y planta un mât, sur lequel on mit une voile.

Dame ! On avait plus l'habitude des bateaux que des charrettes !

Et le vent gonflant la voile, on prit la route de Paris.

Il y avait là huit hommes.

Ils marchèrent jusqu'à midi, et s'arrêtant pour manger un morceau, ils aperçurent à bâbord un champ de lin dont les fleurs ondulaient au vent. C'était bleu comme la mer, ça frissonnait comme la mer par jour de brise. Ils décidèrent de s'y baigner.

Ils se déshabillèrent et entrèrent dans le champ.

Ils ressortirent même pas mouillés, ce qui leur parut bizarre. Le patron dit tout de même :

– Vaut mieux nous compter, pour voir s'il n'y a pas eu quelqu'un à se noyer !

Et il commença ses comptes :

– Y'a toi et moi, ça fait un, et lui, deux, lui trois, lui quatre, lui cinq, lui six et lui sept !

Il s'arrêta, tout surpris :

– Dieu me damne ! On était partis huit et nous voilà plus que sept. Y'en a un qui s'est noyé.

– T'as peut-être pas bien compté, dit un autre, recommençons : y'a toi et moi, ça fait un, et lui deux...

Mais il arriva au même compte : ils n'étaient plus que sept ! Ils se regardaient, consternés, quand l'un d'eux proposa :

– Attendez ! Il n'y a qu'un seul moyen d'être sûr : vous voyez cette taupinière toute fraîche qui vient de sortir de terre ? On n'a qu'à mettre chacun son doigt dedans, et compter les trous.

C'était une bonne méthode : ils comptèrent huit trous, ce qui voulait dire qu'ils étaient tous là, et qu'il n'y avait donc pas de noyé. Cela les rassura bien. Ils ne comprirent pas vraiment le fond de cette affaire, mais ils reprirent leur chemin.

Malheureusement, tandis qu'ils se baignaient, ils n'avaient pas vu que l'âne, broutant de-ci, de-là, avait finalement fait demi-tour. Ils étaient en train, sans le savoir, de repartir en sens inverse, vers leur village.

Au fur et à mesure qu'ils avançaient, ils se disaient que c'était bien sot de courir le monde, car tous les endroits se ressemblaient : à preuve, tout était ici comme chez eux.

Enfin, comme le soir venait, après avoir longtemps marché, ils aperçurent Paris.

– Eh ben, dit le patron, Paris n'est point du tout si beau qu'on dit. C'est tout exactement pareil comme not' village, ni plus gros ni plus petit.

Et comme ils avançaient encore, ils aperçurent les femmes dans les champs, puis d'autres, plus loin, qui les regardaient venir, sur le pas de la porte :

– Dieu me damne, dit le patron, c'est à raison qu'on dit que toutes les femmes se ressemblent, celles-là sont toutes pareilles comme les nôtres.

Les femmes étaient étonnées et très heureuses de voir

que leurs hommes avaient si vite fait le voyage, et qu'elles n'avaient même pas eu le temps de s'inquiéter pour eux. Elles les interpellèrent en riant, les entourèrent, les embrassèrent.

Tout surpris et un peu gênés, les hommes les considéraient d'un œil ahuri.

– Dieu me damne ! s'écria enfin le patron. Ah... là ! Nous sommes bien à Paris, et on ne nous avait point menti : les femmes y sont effrontées comme le diable. Partons vite d'ici, et retournons chez nous !

Les Morgans de l'île d'Ouessant

Au loin, sur la mer, Ouessant lutte contre vents et tempêtes. Les marins redoutent ses côtes, car, dit-on, « qui voit Ouessant voit son sang ». Aussi, pour les habitants de l'île, la mer est la vie, la mort, l'horizon. Rien d'étonnant à ce que la légende peuple cette mer d'êtres étranges.

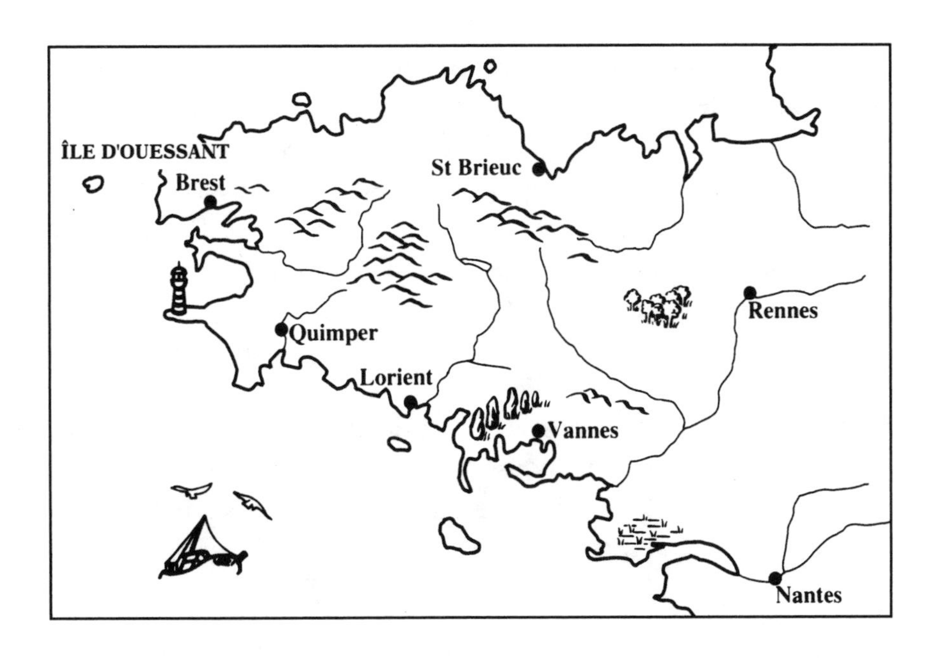

Assise sur le haut d'un rocher, face à la mer, Mona contemplait les vagues, qui s'écrasaient dans des gerbes d'écume juste au-dessous d'elle. Elle plissa les yeux pour tenter de voir dans l'eau, pour tenter d'apercevoir enfin le château des Morgans, dont on lui avait tant parlé. Mais la mer toujours agitée refusait de laisser percer son secret.

Mona soupira.

Les Morgans, disait-on, étaient les êtres les plus beaux qui soient, des cheveux blonds et bouclés, des yeux bleus et brillants... Mona en rêvait. On disait que parfois, au clair de lune, ils venaient sur le rivage faire sécher leurs pierres précieuses, leurs pièces d'or et leurs fils de soie. Ils les étendaient sur des draps très blancs, et on pouvait regarder, à condition de ne pas battre des paupières, car dès que l'œil les quittait un seul instant, les trésors disparaissaient.

Si Mona Kerbili s'intéressait tant aux Morgans, ce n'était pas à cause de leurs richesses, mais parce qu'on murmurait dans le pays qu'elle était sans doute la fille d'un Morgan.

C'était complètement faux, bien sûr : elle était simple-

ment la fille de Fanch Kerbili, et de sa femme Jeanne, c'est ce que Jeanne s'usait à répéter.

– Allons, chuchotait-on derrière son dos, cette petite Mona est beaucoup trop jolie pour être la fille d'un homme de l'île.

– Pour être aussi belle, il faut bien qu'elle ait pour père un Morgan.

Ces paroles étaient venues aux oreilles de Mona, et elle commençait à y croire, malgré les affirmations de sa mère, car il est toujours agréable de s'imaginer qu'on vaut mieux que tous.

Mona n'était pas mauvaise fille, mais la conscience qu'elle avait de sa beauté avait fini par lui gâter le jugement. Maintenant qu'elle avait dix-sept ans et qu'elle était en âge de se marier, elle ne voyait pas un garçon qui fût digne d'elle.

C'est du moins ce que disaient les mauvaises langues. Mais allez savoir ? Peut-être que, tout simplement, il n'y avait dans l'île aucun garçon qui lui plaise, aucun dont elle aurait pu tomber amoureuse. Il faut dire que le choix n'était pas bien grand, et que les garçons à marier ne se comptaient pas par milliers.

Alors, Mona se promenait au bord de l'eau, et elle soupirait.

C'est ainsi qu'un jour qu'elle scrutait l'eau pour découvrir enfin le fameux château, elle se prit à rêver tout haut.

– Le mari qu'il me faudrait, murmura-t-elle, c'est un Morgan.

Mais à peine avait-elle prononcé ces mots, qu'elle se sentit glisser vers l'eau. Elle poussa un cri effaré : un vieux Morgan la tenait par la taille, et l'entraînait vers le fond.

Mona tenta de se débattre, d'appeler, mais personne ne l'entendit.

– De quoi as-tu peur ? grimaça le Morgan en la tirant derrière lui. N'as-tu pas ce que tu voulais ?

Mona ravala ses larmes. Elle regrettait. Comme elle regrettait d'avoir prononcé ces sottes paroles !

Les algues lui chatouillaient le visage, l'eau semblait s'éclairer sur son passage... Quand le château apparut à ses yeux, elle commença à se consoler. Tout était si beau ici !

– Voici mon château, dit le vieillard. Je suis le roi des Morgans, et je t'offre l'hospitalité.

– C'est que… murmura Mona, ma mère va s'inquiéter...

– Il fallait y penser avant, grogna le vieux roi.

Il allait ajouter que cela faisait longtemps qu'il guettait Mona, car il avait remarqué sa grande beauté, quand son fils parut.

Mona demeura suffoquée. Jamais elle n'avait de sa vie vu si beau jeune homme. Lui, la regardait aussi, tout étonné, et sans pouvoir détourner son regard d'un si charmant visage.

– Oh mon père, dit le jeune homme. Est-ce là l'épouse que vous me destinez ?

Le roi des Morgans se redressa de toute sa hauteur :

– Du tout ! Du tout ! gronda-t-il d'un air fâché.

Mais, se trouvant soudain bien sot devant son fils, il n'osa avouer qu'il avait fait le projet d'épouser lui-même cette jeune personne, et se contenta de grommeler :

– Un Morgan ne se marie pas avec une fille de la Terre.

– Je vous en prie, mon père, reprit le jeune Morgan, rien que de la voir, je me sens tout ému, et si par hasard elle m'aimait aussi...

– Suffit ! cria le père. J'ai ramené cette fille de la Terre

pour en faire une servante, c'est tout. Il y a chez nous suffisamment de jolies Morganès pour que tu puisses en choisir une qui te plaise !

Maintenant qu'il avait prononcé ces mots, le vieux roi ne pouvait plus prétendre épouser lui-même Mona. Il en était fâché, ulcéré, malade, si furieux qu'il en devint épouvantable. D'abord, il tenta d'enfermer Mona, pour que son fils ne puisse l'apercevoir, mais cela ne servit qu'à faire dépérir le jeune homme.

Alors son père prit la décision de le marier, pour qu'il oublie la fille de la Terre. Peine perdue : le jeune homme ne regarda même pas sa fiancée, et continua de demander comme chaque jour à son père de lui donner Mona pour femme.

Jamais ! Jamais ! Jamais ! Le vieux roi ne cèderait pas, et plutôt que de voir la jeune fille de la Terre au bras de son fils, il préférait la voir morte.

Voilà, sa décision était prise. Il fit venir son fils, et lui dit :

– Ta fiancée a assez attendu. Demain, tu l'épouseras. Quant à Mona, si elle veut rester en vie, il lui faudra prouver qu'elle est une excellente servante, car je ne veux pas ici de bouche inutile. Elle préparera le repas de noce. S'il n'est pas bon, elle mourra.

Le lendemain, Mona fut convoquée aux cuisines. Le vieux roi lui donna quelques grandes coquilles de mer vides et lui ordonna de préparer le meilleur des repas. Puis, sans écouter la jeune fille, il rejoignit le cortège de la noce qui se dirigeait vers l'église.

Le cortège s'étirait tout au long de la Voie Royale, la plus belle route du royaume. Le jeune Morgan marchait devant.

Il avait l'air détendu, presque gai, ce qui rassura bien son père. Mais voilà que soudain, il s'arrêta et se frappa le front en riant :

– Oh mon père, c'est trop d'étourderie : j'ai oublié les alliances sur la table ! Je cours les chercher et je reviens.

Et avant que son père n'ait pu l'en empêcher, il fit demi-tour.

Comme il arrivait aux cuisines, il aperçut Mona qui pleurait. Elle se jeta dans ses bras.

– Je dois faire le repas, sanglota-t-telle, et on ne m'a rien donné pour cela : ni feu, ni rien à faire cuire.

– Ne pleurez pas, ma douce, je suis là. Je vais vous aider.

Il tendit le doigt vers le foyer, et le feu s'alluma aussitôt. Il toucha les marmites, et elles se remplirent de poisson finement cuisiné et de succulentes sauces aux crustacés. Puis il dit :

– Je vous sauve la vie, ma douce, mais hélas je vous perds, car je me marie ce matin. Sachez pourtant que je n'aime que vous, pour toujours.

Ils pleurèrent tous deux. Mais les larmes ne pouvaient servir de rien, et le Morgan dut repartir pour l'église.

– Alors ! grogna le vieux Morgan en pénétrant dans les cuisines. Voilà le mariage célébré. Tout est-il prêt, Mona ?

Il jeta un coup d'œil aux marmites, resta stupéfait, puis serra les dents. Il l'aurait juré : la magie de son fils était pour quelque chose dans ce repas trop bien préparé.

– Tu m'as trompé, dit-il à Mona d'un air mauvais, mais tu ne perds rien pour attendre. Ce soir, tu veilleras à l'entrée de la chambre de mon fils et de sa femme, en portant un cierge. Si par malheur tu laisses s'éteindre le cierge, alors tu mourras.

Mona se sentit devenir de glace : forcément, la flamme s'éteindrait quand la cire serait entièrement consumée. Elle se dit qu'elle allait mourir, et voulut prévenir le jeune Morgan. Hélas, toutes les portes étaient closes. Elle était enfermée dans les cuisines, tandis que son ami était bloqué dans la grande salle par le festin d'où il ne pouvait s'échapper.

Alors, Mona fondit en larmes. Elle s'excusa en pensée auprès de ses parents, de sa mère dont elle avait douté, de son père qu'elle avait méprisé, et recommanda son âme à Dieu.

Le soir venu, le vieux roi accompagna son fils jusqu'à sa chambre :

– Comme c'est la coutume, annonça-t-il, quelqu'un montera la garde devant votre porte, en tenant une chandelle. Ne vous inquiétez donc pas si vous entendez du bruit.

Le jeune Morgan voulut demander qui monterait la garde, mais son père était déjà parti. Le jeune homme se dit qu'il s'agissait forcément d'un des serviteurs du château, et n'insista pas.

Toutefois, au bout d'un moment, il crut entendre parler dans le couloir. Le vieux roi ne savait pas chuchoter. On percevait sa voix étouffée, qui demandait :

– Le cierge est-il bientôt consumé ?

– Pas encore, répondit une voix douce, que le jeune Morgan aurait reconnue entre mille.

Quelques minutes passèrent.

– Le cierge est-il bientôt consumé ?

Le jeune Morgan se demandait ce qu'était cette histoire de cierge, à laquelle il ne comprenait rien.

N'y tenant plus, ils se tourna vers sa femme et dit :

– Il fait froid ici. J'entends que Mona est dans le couloir,

voulez-vous bien aller lui dire de venir allumer le feu. Pendant ce temps-là, vous tiendrez sa chandelle.

À peine Mona eut-elle refermé la porte, qu'un courant d'air éteignit le cierge. Surprise, la jeune mariée resta un moment sans bouger. Elle entendit alors une voix qui s'inquiétait :

– Le cierge est-il bientôt consumé ?

– Il s'est éteint, répondit-elle.

Et avant qu'elle n'ait eu le temps de comprendre, une épée lui avait tranché la tête.

Quand le jeune Morgan découvrit sa femme morte sur le pas de la porte, il devina ce qui s'était passé.

Alors il réfléchit et alla voir son père :

– Vous avez tué ma femme, accusa-t-il sévèrement.

– Votre femme... bredouilla le vieux roi qui commençait à comprendre sa méprise. Mais je n'ai pas...

– Vous avez tué ma femme. Maintenant, en réparation, vous me donnerez l'épouse que je veux.

– Il n'en est pas question !

– Je veux Mona, décida le Morgan d'un ton sans réplique en saisissant la main de la jeune fille.

Et sans égard pour le roi qui étouffait de colère, il sortit avec elle et courut vers l'église.

Quelques années passèrent. Mona était heureuse avec le jeune Morgan, elle l'aimait de plus en plus. Pourtant, certains jours, elle regrettait le soleil de là-haut, les gens de là-haut.

– Pourquoi êtes-vous si triste, ma mie ?

– C'est que je suis inquiète. Je voudrais revoir mes parents, les rassurer. Ils m'aimaient tant...

Le Morgan était désolé que son amour ne suffise pas à sa femme, mais il n'en dit rien. Il ne voulait pas la tenir en prison.

– Si vous voulez aller les voir, dit-il, allez, mais revenez-moi vite, je vous en supplie.

– Vous n'avez rien à craindre, dit Mona. Je vous aime plus que tout au monde, et ne saurais vivre sans vous.

– Alors allez vite, ma mie, souffla le Morgan, que mon père ne vous voie pas.

Et d'un geste de la main, il dessina un pont immense qui rejoignait la terre.

Malheureusement, à peine Mona eut-elle posé le pied sur le pont, que le vieux Morgan apparut. Voyant ce qui se passait, il menaça aussitôt du doigt :

– Ah ! tu t'en vas !... Eh bien va ! Mais je te préviens : si par hasard tu embrasses un homme, tu ne reviendras plus ici, jamais.

– Je n'embrasserai aucun homme, dit Mona sans regarder le vieux.

Et elle se mit à courir sur le pont.

Quand Mona arriva à la maison de son père, personne ne la reconnut, tant elle avait gagné en beauté, tant elle était richement vêtue. On la prit pour une apparition, une fée, et on eut peur.

Mona était désolée : plus elle parlait, plus ses parents croyaient à un tour joué par les mauvais esprits. Ils étaient sûrs que leur fille Mona s'était noyée, et qu'elle était morte depuis longtemps.

Alors, les larmes ruisselèrent sur les joues de la jeune femme, et elle dit :

– J'ai eu tort de croire que j'étais la fille d'un Morgan.

Vous l'avez toujours dit, ma mère, je suis votre fille, et celle de Fanch Kerbili.

À ces paroles, ses parents la reconnurent. Sa mère la serra dans ses bras, la cajola, son père l'embrassa en pleurant. Alors, si heureuse d'être enfin redevenue leur fille, Mona leur rendit leurs baisers...

Las ! À peine eut-elle embrassé son père, qu'elle oublia tout de sa vie chez les Morgans. Elle se réinstalla dans la maison de ses parents, et reprit sa vie d'antan comme si rien, jamais, ne s'était passé.

Le temps coula doucement. Au fond de la mer, le jeune Morgan se désespérait. Il comprenait que sa femme était perdue. Il errait tout le jour sans but. Le soir, il posait le pied sur le rivage, et contemplait la maison de sa bien-aimée, sans pouvoir rien faire.

Chez les Kerbili, la vie avait repris son cours, et plus d'un garçon rôdait autour de la maison, faisant sa cour à la plus belle des belles, Mona Kerbili. La réputation de sa beauté était même parvenue si loin, que des jeunes gens vinrent du continent pour avoir le privilège de l'approcher.

Pourtant, Mona ne pouvait attacher son cœur à aucun. Sans savoir pourquoi, elle ne parvenait même pas à les regarder et se surprenait souvent à soupirer, le cœur plein d'un désespoir qu'elle ne s'expliquait pas.

La nuit, couchée dans son petit lit, elle entendait des gémissements dans le vent. Ce sont les âmes des pauvres noyés, croyait-elle, qui se plaignent. Alors elle s'agenouillait au pied de son lit, et priait pour que ces pauvres âmes trouvent enfin le repos.

Une nuit de tempête, Mona fut réveillée par un long san-

glot porté par le vent. Les embruns de la mer frappaient sa fenêtre, la mer s'était déchaînée, on l'entendait mugir, s'acharnant violemment contre les rochers de la côte. Il fallait se blottir au plus profond de son lit, et prier le ciel pour les pauvres marins qui étaient en mer.

Pourtant, Mona sentait en elle comme de l'exaltation. Au lieu de la terrer dans son lit, voilà que la tempête semblait l'attirer au dehors.

Elle sortit. Sur le pas de la porte, elle fut assaillie par le vent et la pluie, et l'écume de la mer qui fouettaient son pauvre corps, et dans le souffle mouillé qui balayait la lande, elle entendit une voix chaude, une voix aimée qui gémissait. Alors tout lui revint. Son cœur se gonfla : son mari bien-aimé l'appelait désespérément. Elle courut vers le rivage.

De ce jour, on ne revit plus jamais Mona Kerbili. On crut qu'elle était devenue folle, et s'était précipitée dans la mer en furie. Seuls ses parents devinèrent ce qui s'était passé, car ils avaient le premier jour reconnu sur elle des vêtements de Morgans. Mais ils ne dirent rien. Certains soirs, on les voyait se promener le long du rivage. Malgré leur tristesse, ils ne pleuraient point, car ils savaient que leur fille, enfin, était heureuse.

La fontaine de Margatte

L'eau est tout à la fois un élément craint et vénéré. On en a besoin et on en a peur, car elle est toute puissante. Elle peut sauver ou noyer, faire pousser ou faire pourrir.

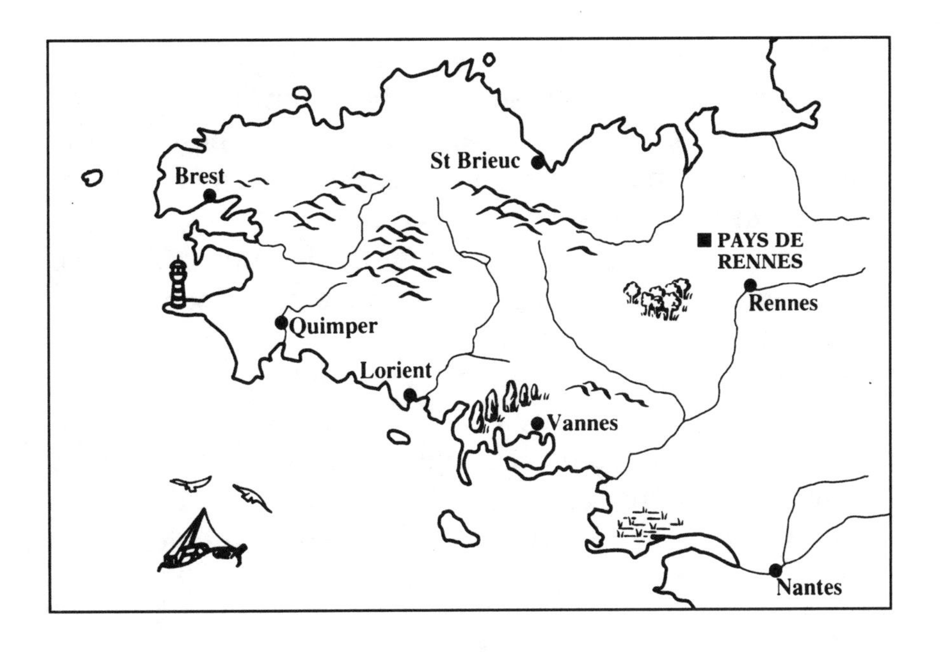

Au bord de l'étang de Combourg, le seigneur Riwallon avait fait construire un grand château.

Le seigneur aimait se promener autour de l'étang. Souvent, en rêvant, il en longeait la rive jusqu'à la fontaine de Margatte, puis il revenait tranquillement. Or un jour, comme il approchait de la fontaine, il entendit des vociférations :

– Nom de nom d'un petit bonhomme !

La voix venait des buissons qui bordaient le sentier. Riwallon, intrigué, s'approcha et vit alors une chose surprenante : un petit nain barbu, à peine plus haut qu'un champignon, qui se débattait parmi les ronces.

– Nom de nom de nom d'un petit bonhomme, aidez-moi donc ! Vous voyez bien que ma barbe est accrochée dans les épines !

Riwallon fut amusé qu'un si petit bonhomme puisse se mettre dans une si grande colère. Il sortit le couteau qu'il avait toujours dans sa poche, coupa les ronces une à une et, soulevant le nain par son paletot entre le pouce et l'index, le tira de sa fâcheuse posture. Puis il le déposa à ses pieds.

Le nain avait encore des épines plein la barbe, et il était de fort méchante humeur.

Riwallon essaya de l'apaiser :

– Que faisais-tu dans ce fourré ?

– Je cherchais la Pierre, pardi !

– La pierre ? Quelle pierre ? s'étonna Riwallon.

– Eh bien... la Pierre blanche.

Le nain se radoucissait et, tout en retirant une à une les épines de sa barbe, il expliqua :

– La Pierre blanche est une pierre merveilleuse. Il suffit de la jeter dans la fontaine de Margatte pour empêcher l'eau de déborder.

– Grande merveille en effet ! s'exclama Riwallon en riant. Voilà un conte bien amusant : tout le monde sait que la fontaine de Margatte ne déborde jamais, on peut donc bien y jeter les pierres qu'on veut.

Le seigneur se pencha vers le nain, mais il ne le trouva plus nulle part : il avait disparu dans les fourrés.

À quelque temps de là, le seigneur Riwallon se rendit à cheval à Dol, pour y voir son frère. Il n'en revint que tard le soir, alors que le soleil se couchait.

Or, en ce temps-là, les routes étaient peu sûres la nuit : on risquait à tout instant de se faire détrousser par les brigands. Riwallon se dépêchait donc pour arriver au château avant la nuit, quand, tout à coup, il vit une ombre au milieu du chemin. Il tira si fort sur les rênes pour arrêter son cheval, que la bête se cabra.

– Oh ! J'ai bien failli vous blesser ! cria-t-il en s'apercevant qu'il s'agissait là d'une vieille femme. Il ne faut pas rester sur le milieu du chemin.

– Je resterai où je veux.

Le seigneur demeura tout étonné qu'on lui réponde sur ce ton.

– En tout cas, dit Riwallon, maintenant laisse-moi passer !

– Point ne passeras ! répondit-elle d'un ton mauvais.

– Retire-toi de là, te dis-je !

– Point ne passeras, reprit la vieille.

– Ecarte-toi, vieille sorcière, ou je te donne un coup de ma cravache ! hurla Riwallon fort en colère.

La vieille cracha par terre aux pieds du cheval. Ses petits yeux méchants se mirent à briller et, fixant Riwallon, elle ricana :

– Ah ! Tu m'insultes ! Longtemps, je te le dis, tu regretteras tes paroles.

Puis, levant les bras au ciel, elle cria :

– Que la bonde de la fontaine de Margatte soit ôtée, et que coule l'eau jusqu'à ce que le pays soit noyé et ton château englouti !

Et sa silhouette se perdit dans la nuit.

Riwallon pensa que c'était une vieille folle, et continua son chemin.

Le lendemain matin, Riwallon fut réveillé par des cris :

– Seigneur ! Seigneur ! La fontaine de Margatte coule à flots ! Déjà elle déborde et fait monter l'eau de l'étang !

Riwallon sauta du lit, s'habilla à la hâte et courut à la fontaine. Il essaya vite de boucher l'arrivée d'eau, mais le flot giclait si fort que rien ne lui résistait.

Alors Riwallon se souvint du nain et de la Pierre blanche. Il courut à l'endroit où il l'avait rencontré, sauta dans les fourrés et se mit à la recherche de la pierre merveilleuse.

Il fouilla les fossés, gratta la terre de ses mains, s'écor-

cha mille fois aux ronces. L'eau de la fontaine coulait de plus belle, elle lui léchait maintenant les pieds. Riwallon fouilla encore ; l'eau lui monta à la cheville. Bientôt elle atteignit ses genoux.

Alors Riwallon vit qu'il ne pourrait continuer à chercher, car sous tant d'eau, il n'apercevait même plus le fond. Tout le pays serait donc noyé par sa faute...

Il passa sa main sur son front et, à ce moment précis, il entendit :

– Au secours ! Au secours !

C'était le nain, qui s'accrochait désespérément à une branche pour ne pas être noyé.

Jamais Riwallon ne fut aussi heureux de voir quelqu'un. Il le hissa sur ses épaules et demanda :

– Dis-moi vite où est la Pierre blanche !

– Ah Ah ! s'amusa le nain. Ne m'as-tu pas dit, il n'y a pas si longtemps, que la fontaine de Margatte ne débordait jamais ?

– Je l'ai dit et j'ai eu tort, mais je t'en supplie, dis-moi où est la Pierre.

– Là, fit le nain malicieusement en montrant sa poche.

L'eau arrivait maintenant à la taille du seigneur de Combourg. Le nain sur son dos, il nagea de toutes ses forces jusqu'à la fontaine, et y laissa tomber la Pierre.

Aussitôt, le flot qui s'écoulait redevint filet d'eau, le niveau de l'étang commença de baisser.

Lorsque Riwallon eut de nouveau les pieds au sec, le nain sauta à terre et, s'éloignant, cria :

– Surveille bien ta fontaine, seigneur de Combourg, pour que personne ne puisse en ôter la bonde, car il n'y avait qu'une seule Pierre blanche !

Jusqu'à présent, personne n'a soulevé la bonde de la fontaine de Margatte, mais un jour peut-être... Méfiance !

La ville d'Ys

Dans la baie de Douarnenez, quand la lune se reflète sur la mer, on entend un carillon, très loin. C'est celui des cloches de la ville d'Ys...

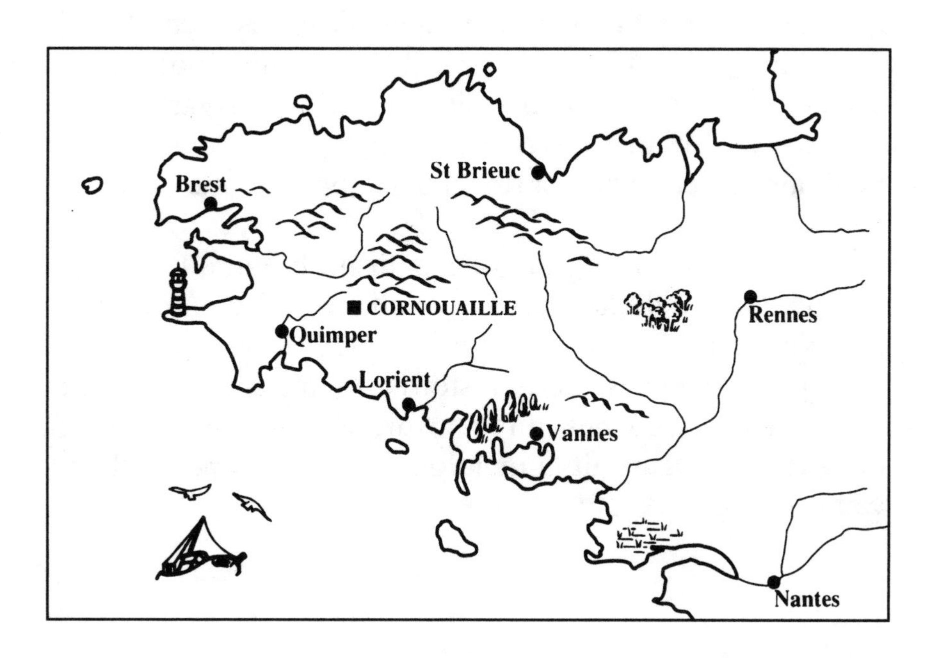

En ce temps-là, la ville d'Ys (qu'on écrit aussi Is) était la plus belle qui fût au monde, si belle que lorsque les Français construisirent leur capitale, il l'appelèrent « Par-Is », c'est-à-dire « semblable à Is ».

Ys était entourée de formidables murailles, battues par les vagues. Quand la mer était haute, l'eau assiégeait la ville de toutes parts. Elle se heurtait aux solides portes, qui avaient, disait-on, été construites par des Korrigans, et que rien ne pouvait faire céder. Seul le roi en possédait les clés, qu'il portait accrochées à son cou, de jour comme de nuit.

Ce roi s'appelait Gradlon. C'était un homme bon et généreux. Lorsqu'il était jeune, il avait couru l'aventure, loin, jusqu'en Scandinavie, où il avait épousé une fée, mais à l'époque où se passe cette histoire, il était devenu vieux et un peu triste. Souvent, on le voyait errer sur les remparts de la ville. Il regardait la mer, longtemps, comme si elle devait le consoler de quelque chose.

– Ah ! se plaignit-il un jour à son ami saint Gwénolé, ma fille deviendra-t-elle un jour raisonnable ?

Saint Gwénolé ne répondit pas. Il savait bien que Dahut, la fille du roi Gradlon et de la fée scandinave, n'était pas seulement déraisonnable, il la croyait mauvaise, mais il ne voulait pas peiner le bon roi.

– Pourquoi ne retourneriez-vous pas à Quimper ? demanda-t-il. Vous y seriez loin de votre fille, et sa conduite vous tourmenterait moins. Le roi réfléchit. Un long moment, il demeura silencieux, puis enfin :

– Un jour, commença-t-il, un jour que je chassais dans la forêt du Menez-Hom avec une troupe nombreuse, nous nous sommes perdus. Par hasard, nous arrivâmes à une hutte de branchages, où vivait un ermite d'une grande sainteté. Vous le connaissez.

– C'était mon bon maître, saint Corentin.

– Comme nous n'avions rien mangé depuis l'aube, reprit le roi, nous avions grand-faim, mais le pauvre ermite, qui vivait dans le dénuement le plus complet, ne possédait rien pour nourrir une troupe comme la nôtre. Il fit venir le cuisinier et lui confia un petit morceau de poisson, puis il appela l'échanson et lui donna une cruche d'eau.

Comme ces deux serviteurs restaient tout ébahis, saint Corentin leur dit : « Portez ceci à votre maître ».

Gênés, mais n'osant désobéir, les deux serviteurs vinrent vers moi. C'est alors que tout le monde vit que l'eau s'était transformée en vin, et que les poissons se multipliaient, jusqu'à apaiser la faim de toute ma troupe.

– Je me rappelle ce miracle, dit saint Gwénolé, preuve de la très grande sainteté de mon vénéré maître.

– Alors, continua Gradlon, j'ai dit au saint ermite : « Il ne faut point que vous viviez loin des hommes, il faut que

vous leur apportiez votre lumière. Je vous donne ma bonne ville de Quimper, son palais et ses églises, et je promets solennellement de faire aussi construire un monastère à Landévennec ».

Ayant fini ces mots, le roi regarda son ami :

– Quimper ne m'appartient plus, vous le voyez. Chez moi est ici, à Ys, et j'y resterai. Et puis, j'espère pouvoir encore quelque chose pour ma fille. Si sa mère n'était pas morte alors qu'elle était toute jeune, peut-être ne serait-elle pas devenue ce qu'elle est...

Pendant ce temps, dans les salles tout illuminées du château, Dahut donnait une fête. Comme chaque soir, de cent lieues à la ronde, des seigneurs étaient arrivés, attirés par la magnificence de la ville et la réputation de ses fêtes. On s'y amusait plus que partout ailleurs, même si on croyait savoir qu'il y avait quelque danger à y participer.

On murmurait que certains jeunes seigneurs avaient disparu, bien qu'on ignorât comment.

Ce soir-là, alors que la fête battait son plein, un serviteur s'approcha discrètement d'un jeune homme très beau.

– Seigneur, chuchota-t-il, notre damoiselle Dahut vous a remarqué...

Le jeune seigneur se sentit très flatté. Au milieu de la grande fête, parmi tous ces gens, la princesse avait porté ses yeux sur lui ! Le serviteur poursuivit :

– Elle vous fait donner ce masque pour vous cacher le visage et l'aller rejoindre dans sa chambre dès que le bal sera fini.

Le cœur battant, le jeune homme prit le masque et attendit avec grande impatience la fin de la soirée. Puis, mené par un serviteur tout de noir vêtu, il rejoignit la belle Dahut.

Avant que le jour ne se lève, elle le renvoya :

– Partez maintenant, mais remettez ce masque. Je ne veux pas qu'on sache qui sort de ma chambre.

Le jeune homme fixa le masque sur son visage, et aussitôt le masque se resserra, se resserra jusqu'à l'étouffer. Le jeune homme tomba sans connaissance aux pieds de Dahut.

Alors, la princesse fit un geste au serviteur habillé de noir. Sans un mot, celui-ci ramassa le seigneur, le jeta en croupe sur son cheval, et s'en fut au galop. Il connaissait, pas loin de Huelgoat, un précipice, où cet amant imprudent irait rejoindre les autres [1].

Le lendemain, le serviteur du jeune seigneur le chercha partout, mais il avait disparu. On supposa alors qu'ayant trop bu, il avait voulu se promener sur les remparts et était tombé à la mer.

Personne ne s'inquiétait vraiment de ces disparitions, et bien qu'on murmurât un peu, on préférait faire comme si de rien n'était, et continuer à profiter de la vie facile de cette belle cité.

Dans les rues propres et nettes de la ville d'Ys, jamais on ne voyait un mendiant. Si l'un d'eux voulait passer les portes, on le rejetait aussitôt. À force de vouloir conserver ses richesses, la ville avait endurci son cœur et perdu son âme.

Or un jour, arriva dans la ville un jeune homme d'une

1. Encore aujourd'hui, dans la nuit sombre, montent de ce précipice, les plaintes des morts.

étrange beauté, prince d'une lointaine contrée. Ses vêtements étaient d'une telle richesse que, même à Ys, on les remarqua.

Dès qu'elle le vit venir, la princesse Dahut n'eut de cesse de l'avoir à sa table. Tout le soir, elle fut sous le charme de l'étranger, à tel point qu'elle en oublia même de danser.

Vers la fin de la soirée, le jeune prince se leva et, frappant dans ses mains, il dit :

– Je propose maintenant un branle, que va vous jouer mon musicien personnel.

On vit apparaître alors un petit nain vêtu d'une peau de bouc, qui se mit à souffler avec entrain dans son biniou.

Aussitôt, tous les invités se mirent à danser le branle. Mais plus ils dansaient, plus le rythme de la musique s'accélérait, et ils n'arrivaient plus à s'arrêter.

Alors le jeune prince se pencha vers l'oreille de Dahut...

Tous deux, ils quittèrent discrètement le bal sans être vus, et s'éloignèrent le long des remparts.

Les deux mains posées sur le rebord de la fenêtre de la plus haute tour, le prince parcourait du regard la mer au clair de lune.

– Vous avez là une bien belle ville, murmura-t-il à Dahut. L'homme qui possède les clés de ces portes est un homme puissant.

– Mon père possède ces clés.

– Seul ?

– Seul.

– Il refuse donc de partager son pouvoir ?

– Sans doute, répondit Dahut, qui déjà commençait à en vouloir à son père.

– Ne serait-ce pourtant pas à la personne qui est le cœur de cette cité, d'en garder les clés ?

– Que voulez-vous dire ?

– Vous, belle dame, vous êtes la grâce et la beauté, l'intelligence et la passion, le cœur de cette cité.

– Mon père ne semble pas penser ainsi... Je ne puis jamais rien obtenir de lui.

– Votre père est bien vieux. Comment laisser un tel pouvoir entre de tremblantes mains ?... Si vous m'aimiez, belle dame, vous sauriez que j'ai raison. Qui vous empêche de subtiliser les clés à votre père pendant son sommeil ? Vous deviendriez maîtresse de la ville, et en feriez ce que bon vous semblerait.

Le lendemain à l'aube, le roi Gradlon se réveilla en sursaut : il n'avait plus les clés de la ville autour du cou. Il fit appeler Gwénolé.

– Le malheur est sur nous ! s'exclama le saint. Prenez ce que vous avez de plus précieux et fuyez cette ville.

À peine eut-il prononcé ces mots qu'on entendit comme un mugissement.

Les portes de la ville s'étaient ouvertes, la mer s'engouffrait dans la cité.

Le roi Gradlon sauta sur son cheval, qui se mit à galoper de toutes ses forces, fuyant devant la mer en furie. Les flots le poursuivaient, balayant tout sur leur passage.

– Mon père, secourez-moi ! cria Dahut depuis le haut des remparts.

Ce jeune prince trop beau l'avait trompée, il avait obtenu qu'elle lui confie les clés, puis avait disparu. Et maintenant, les portes de la ville étaient grandes ouvertes.

– Mon père, ne me laissez pas !

Gradlon fit arrêter son cheval pour permettre à sa fille de sauter en croupe. Mais voilà que le cheval n'arrivait plus à avancer, ses pattes fléchissaient, il hennissait désespérément, comme s'il avait à supporter un poids intolérable. La mer s'avançait. La mer les rattrapait.

– Roi Gradlon ! cria alors Gwénolé, c'est le diable que vous portez en croupe. Il faut vous en débarrasser.

Stupéfait et affolé, le roi ne pouvait se résoudre à rien. Jeter sa fille à l'eau, jamais il ne le ferait.

Alors, Gwénolé s'approcha de lui. Il toucha Dahut de son doigt, et elle s'abîma dans la mer, soulevant des vagues d'écume blanche.

Quand enfin le roi Gradlon atteignit la terre ferme, quand son cheval se fut hissé sur le plus gros rocher, il se retourna.

Sa ville avait disparu. Il n'en restait rien. La mer miroitait doucement dans le soleil levant. Ys n'était plus.

*
* *

Depuis ce temps, il est arrivé bien des choses curieuses dans ces contrées.

Un pêcheur ayant plongé pour dégager son ancre qui était bloquée, s'aperçut avec stupéfaction qu'elle était prise dans les barreaux d'une fenêtre. Il regarda par le carreau, et vit qu'il s'agissait d'une église, d'une église magnifique, pleine de fidèles. Pourtant, le prêtre était seul à l'autel, et personne ne répondait la messe.

Tout suffoqué, le pêcheur remonta et raconta son histoire.

– Malheur ! lui dit-on, tu as vu la ville d'Ys. Si tu avais répondu la messe, tu aurais sauvé toutes ces âmes perdues.

Jean des Pierres

On raconte en Finistère l'histoire de Jean des Pierres, avec quelques variantes du nord au sud. Mais malgré de petites différences, son esprit reste le même.

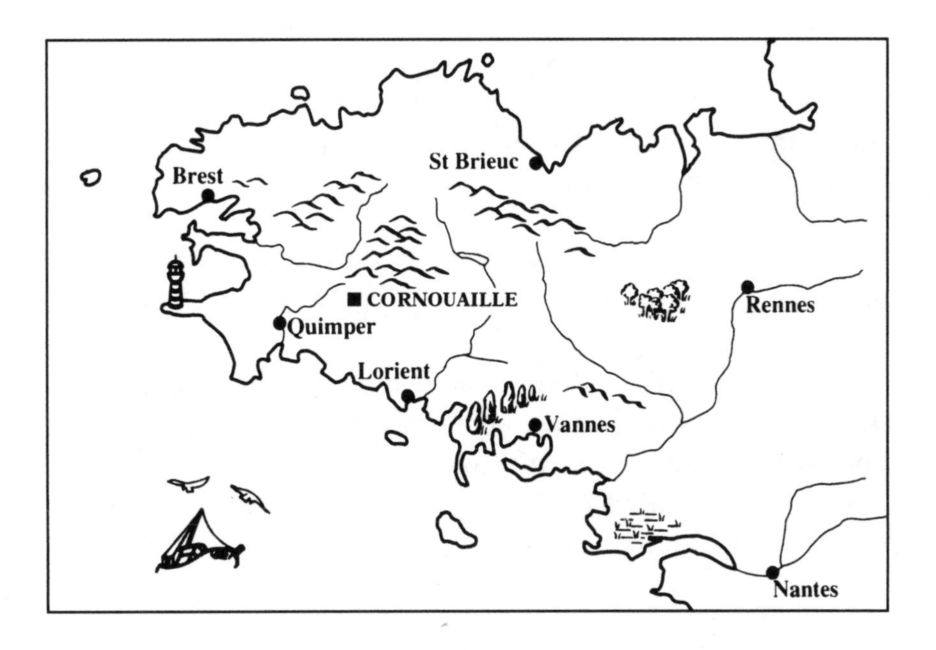

Jean était un homme étrange. On n'avait jamais vu son pareil dans tout le pays. On disait qu'il était un peu fou, mais allez savoir ! En tout cas, personne ne se serait avisé de monter un muret pour enclore son champ sans lui demander son avis.

Car Jean semblait connaître chaque caillou de ce pays. Souvent, on le voyait se promener tout seul, parcourant les champs, les dunes et les grèves. Parfois il s'arrêtait, ramassait une pierre, la regardait puis la reposait ailleurs, ou dans une position différente. On ne savait pourquoi. On l'appelait Jean des Pierres.

Quand on le demandait pour bâtir un mur, il commençait par s'asseoir dans le champ, immobile, à écouter le vent. Il revenait plusieurs jours de suite, attendant que le vent change. Enfin, lorsqu'il se sentait prêt, il disait quelle direction il fallait donner au mur, quelle hauteur et quelle épaisseur, et à quel endroit exact on devait le construire.

On ne demandait pas les raisons : on faisait toujours ce que Jean des Pierres disait.

Le vent, la mer, les eaux souterraines s'ingéniaient à ébranler le moindre muret, à saper ses bases qu'on croyait solides, à battre ses flancs jusqu'à ce qu'il cède. Les murs de Jean des Pierres jamais ne bougeaient.

C'était tout un spectacle que de voir Jean monter ses murs, avec tendresse, pierre par pierre. Il étudiait chacune, sa nature, sa forme, cherchant son âme. Puis il décidait de sa place, et là où il avait dit qu'était sa place, elle restait. Parfois, il fronçait les sourcils, hésitant. Il posait la pierre. Il écoutait. Il la reprenait en s'excusant.

Quand tout était fini, il restait longtemps debout, en silence. Et son visage rayonnait d'une profonde extase, comme s'il avait atteint un monde inconnu, un monde tout de beauté. On disait que ce qui le rendait ainsi, c'était la musique des pierres, mais on disait cela avec des mots trop simples, en sentant qu'on n'était pas assez savant pour connaître les mots qu'il aurait fallu employer.

Jean des Pierres. Voilà un nom qu'on prononçait avec respect, et un peu de crainte, peut-être.

En vieillissant, Jean devint de plus en plus difficile. Il ne voulait plus travailler que par jour de grand vent. Dans le pays, on pensait qu'il s'agissait là d'un caprice de vieil homme.

C'était beaucoup plus grave.

D'année en année, Jean ne posait plus ses pierres qu'avec appréhension. Il attendait, recommençait, défaisait ce qu'il avait fait, hésitait. On ne parvenait pas à comprendre ce qui lui arrivait, et lui, comme d'habitude, ne disait rien. On murmurait que Jean était en train de perdre la tête.

Mais Jean ne perdait pas la tête, il devenait sourd. Il s'en était rendu compte peu à peu. Autrefois, le moindre murmure du vent faisait chanter les pierres. Aujourd'hui, seul le grand vent permettait à leurs voix de l'atteindre. Bientôt, même la tempête les laisserait muettes. Jean comprenait tout cela. Il continuait de s'asseoir près des murs, guettant le moindre soupir, espérant encore. Il n'acceptait plus que très peu de travail, dans les endroits très ventés.

Une nuit, alors qu'il rentrait chez lui après avoir fini son dernier mur, il se sentit malade. Il s'allongea, tout transi, dans son lit, et finit par s'endormir.

Au milieu de la nuit, il se redressa soudain. Il entendait... il entendait une plainte, un gémissement. Il se leva, jeta sa cape sur ses épaules, et sortit sur le pas de la porte. Une voix se lamentait dans le vent. Elle venait de là-bas, vers la mer. Jean enfila ses sabots et, le cœur serré, se dépêcha sur le chemin. Il savait QUI pleurait. Il savait QUI l'appelait.

Il en avait eu comme le pressentiment en posant cette pierre au milieu du mur : il n'avait pas choisi pour elle la bonne place. Maintenant, elle souffrait, elle souffrait terriblement.

Jean courut sur le chemin.

Le lendemain, à l'aube, on trouva le corps sans vie de Jean, enseveli sous les pierres. Son dernier mur s'était effondré sur lui. Et entre ses bras, comme un enfant qu'on berce, il serrait une pierre.

La grotte des Korrigans

Au pays de Batz, là où les marais salants luisent doucement au clair de lune, on peut rencontrer certaines nuits de bien étranges personnages...

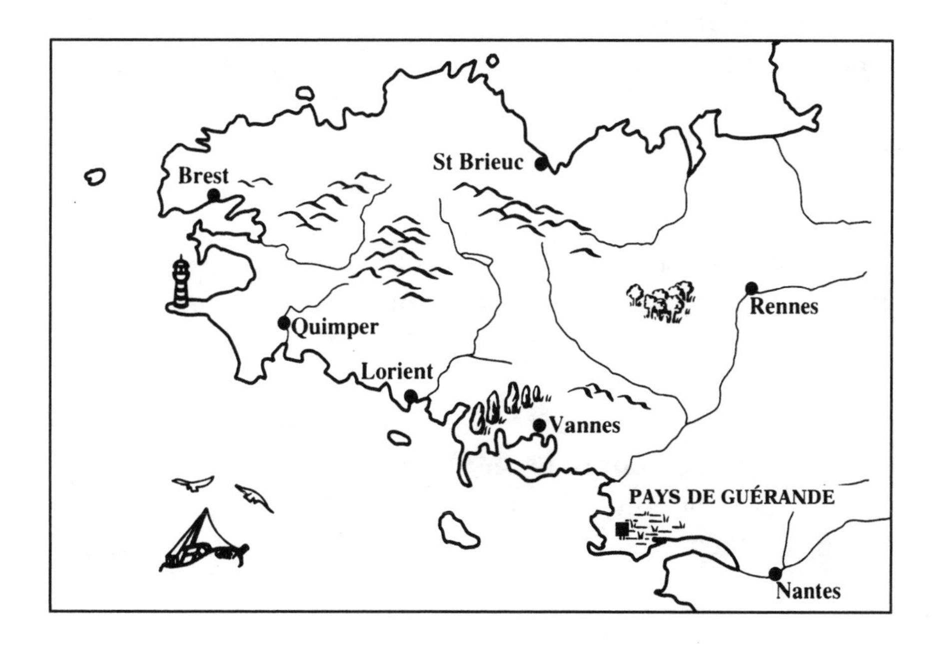

– Oh ! Pierre-Marie Cavalin ! Tu dors debout, dirait-on, il est grand temps de rentrer chez toi !

Pierre-Marie eut un sursaut : il se vit là, avec son grand râteau, au milieu des marais salants. Il se sentait épuisé.

– C'est vrai, se dit-il, il fait presque nuit, j'ai dû m'endormir sur mon travail.

D'un œil inquiet, il regarda autour de lui, et jugea que son tas de sel était assez gros, et qu'il avait tout de même bien mérité son salaire. C'était heureux, car son salaire suffisait déjà à peine à le nourrir, et il était affamé.

Il laissa son râteau et rentra chez lui.

Le ciel était sombre et tourmenté. La tempête guettait et Pierre-Marie pressa le pas. Il passait près du menhir, quand il entendit soudain une plainte :

– Ooooh ! Ooooh !

– Allons bon ! se dit-il, voilà que je dors déjà et que je rêve... j'ai cru entendre le menhir parler.

– Ooooh ! Ooooh ! Y'a quelqu'un ?

Ah ça ! Pierre-Marie ne rêvait pas, c'était bien une voix !

Il fit le tour du menhir et aperçut une petite vieille, adossée à la pierre.

– Je me suis foulé la cheville, gémit-elle d'une petite voix.

– Ce sont des choses qui arrivent, consola Pierre-Marie. Mais ne vous inquiétez pas, ce n'est pas très grave. Dites-moi où vous habitez, je vais vous ramener chez vous.

– J'habite près de la baie de Scal.

– C'est bien loin, réfléchit Pierre-Marie. Pour ce soir, il vaut mieux que je vous emmène chez moi. Dépêchons-nous avant qu'il ne fasse complètement nuit.

Il chargea avec un peu de peine la vieille sur son dos, et fut stupéfait de fléchir sous le poids. Dieu qu'elle était lourde !

Sans rien dire, il commença à marcher bravement. Mais il faut bien avouer que plus il avançait, plus elle lui paraissait pesante.

Au bout d'un moment, Pierre-Marie dut s'arrêter : il n'en pouvait vraiment plus.

– Comment une aussi petite femme peut-elle être d'un tel poids ! soupira-t-il.

– Je sens que tu es exténué, dit la vieille. Tant pis, laisse-moi là.

Mais Pierre-Marie n'était pas garçon à se laisser décourager.

Il proposa à la vieille d'attendre un peu, et il courut jusque chez lui pour ramener son âne.

L'âne ne trouvait pas la vieille trop lourde, à ce qu'il semblait, et il la porta gaillardement jusqu'à la maison.

Là, Pierre-Marie la fit asseoir, et lui massa la cheville :

– J'ai honte, avoua-t-il enfin, mais il ne me reste qu'un croûton de pain à vous offrir. Prenez-le, moi je n'ai pas très faim.

Il lui souhaita le bonsoir et, lui laissant son lit, s'en alla dormir à l'écurie avec son âne.

Lorsqu'il s'éveilla le lendemain matin, Pierre-Marie se trouva tout étonné de se retrouver sur la paille avec, de plus, la faim au ventre. Puis, tout lui revint.

– Allons voir comment va la blessée, se dit-il.

Il courut vers la maison, et resta stupéfait, car il n'y avait plus personne : la vieille était partie sans rien dire…

… sans rien dire, c'est vrai, mais en laissant sur la table une grande clé, une clé brillante comme le soleil et transparente comme l'eau d'une source.

Pierre-Marie la prit dans sa main : elle avait la légèreté d'un pétale de rose. C'était une très belle clé. Que pouvait-elle bien ouvrir ?

Le garçon réfléchit, mais comme aucune idée ne lui venait, il déposa la clé dans son armoire, et s'en fut à son travail.

Sur le chemin, il aperçut de loin une chose qui se traînait par terre. Inquiet, il s'approcha : ce n'était que son voisin Hervé.

Pierre-Marie n'aimait pas beaucoup Hervé, toujours grincheux, toujours à se plaindre... mais là, Hervé semblait se plaindre à juste raison, car il était couvert de bleus.

– Que t'est-il arrivé, voisin ? demanda Pierre-Marie.

– Oh ! ces maudits Korrigans m'ont battu comme plâtre. J'ai mal partout.

Pierre-Marie fut étonné, parce que d'ordinaire, les Korrigans ne s'attaquent pas au premier passant venu sans aucune raison. Il s'enquit :

– Qu'avais-tu donc fait ?

– Rien.

– Rien ? Ils t'ont battu sans dire pourquoi ?

– Ils ont dit que c'était parce que je n'avais pas secouru leur reine, qui s'était foulé la cheville hier au soir.

– ... Ah ! dit Pierre-Marie, songeur. Et c'était vrai ?

– Bah ! Tu penses bien que si j'avais su que c'était la reine des Korrigans, je l'aurais secourue, mais j'ai cru que c'était seulement une pauvresse. Tu vois bien, il n'y a rien à me reprocher !

– Hum hum... murmura seulement Pierre-Marie.

Ainsi donc, c'était la reine des Korrigans... Mais alors, la clé... Il réfléchissait tout en s'éloignant.

La clé serait peut-être bien celle de la grotte des Korrigans, dont on parlait dans tout le pays ! Seulement voilà ; personne ne savait où en était l'entrée. On disait seulement qu'elle se trouvait quelque part dans les rochers de la côte.

Pierre-Marie trouva le temps bien long jusqu'au soir, et jamais son travail ne lui avait paru plus pénible. Enfin il posa son râteau, courut jusque chez lui pour prendre la clé et se dirigea vers la mer. Arrivé là, il demeura perplexe : nulle part on ne voyait la moindre porte, le moindre trou de serrure.

Il sortit la clé de sa poche et la regarda. C'est alors que le dernier rayon du soleil frappa la clé, qui renvoya la lumière sur les rochers et... voilà que le reflet du soleil découpait dans la roche la forme d'une serrure. Sans réfléchir, Pierre-Marie y introduisit sa clé...

La roche s'ouvrit.

Pierre-Marie demeura pétrifié à l'entrée de la grotte : les parois de cristal diffusaient une douce lumière. Le sol était

tapissé de poudre d'or. Près de l'entrée, des Korrigans jouaient aux boules avec des pierres précieuses, tandis que d'autres se balançaient sur des fils de soie.

Au centre de la grotte, dans une auréole blanche, trônait une femme jeune et très belle, que Pierre-Marie crut d'abord n'avoir jamais rencontrée, mais elle dit :

– Tu ne reconnais pas la petite vieille du menhir, Pierre-Marie ? Tu as été bon et généreux, et je t'ai prêté ma clé. Mais il faut maintenant que tu me la rendes, car tu ne peux pénétrer qu'une seule fois dans la grotte. Tu vois ces deux grands sacs ? Décroche-les et remplis-les de tout ce qui te fait envie ici. Toutefois, n'oublie pas ceci : au lever du soleil, tu dois être de retour chez toi.

Pierre-Marie pensa qu'on n'était qu'au soir, et que rien ne pressait. Il commença tout de même prudemment à cueillir des fleurs d'or au cœur de diamant, des lianes d'argent, des pierres précieuses qui traînaient partout, et finit en complétant ses deux sacs avec quelques pelletés de poudre d'or.

Puis il posa sa charge près de la porte.

Il avait maintenant tout son temps. Il regarda avec amusement les Korrigans jouer et se balancer et, comme on l'interrogeait, il commença à parler de sa vie, de ses parents qui étaient morts, de son âne qui était la meilleure des bêtes...

Il réagit soudain, se rappelant qu'il était dans la grotte et que, s'il y faisait clair comme en plein jour, la nuit depuis longtemps était tombée dehors.

Il s'excusa, chargea ses sacs, et repartit rapidement.

Hélas ! Il s'aperçut alors que les premières lueurs de

l'aube éclairaient déjà la plage. Il se mit à courir dans les rochers.

Au lever du soleil, avait dit la reine, *tu dois être de retour chez toi.*

Vite ! Vite ! Déjà il faisait bien clair. Vite ! Vite !

Sa maison lui semblait bien loin, trop loin. Pierre-Marie n'en pouvait plus de galoper. Ses jambes tremblaient de fatigue, il trébuchait sur le chemin.

Au moment où il passait devant le menhir, il s'aperçut que le soleil pointait à l'horizon.

Il se jeta à genoux, creusa sous la grosse pierre de toute la force de ses ongles, et y enfouit un sac.

Il saisissait le deuxième quand un rayon de soleil le frappa, le sac se dégonfla comme une baudruche, et s'affaissa : il était vide.

– Un sac d'or perdu ! se lamenta Pierre-Marie.

Puis il songea que l'autre était sauvé et, qu'après tout, c'était bien suffisant pour ses besoins.

Et il rentra chez lui, en imaginant tout ce qu'il pourrait faire de ces richesses lorsque, la nuit suivante, il aurait récupéré le sac.

Il attendit avec impatience le coucher du soleil, et fila d'une traite jusqu'au menhir. Il creusa et tira sur le sac... qui ne voulut pas venir. Il creusa et tira encore de toutes ses forces, mais le menhir ne voulait pas lui rendre son trésor. Ses mains s'écorchaient sur les cailloux, et le sac ne bougeait pas.

Pierre-Marie se laissa tomber au pied du rocher. Il avait travaillé toute la nuit sans succès.

C'est à ce moment qu'Hervé passa par là :

– Tiens ! Qu'est-ce que tu fais ? demanda-t-il avec curiosité.

– Oh Hervé, aide-moi et je te donnerai la moitié de ce que contient ce sac.

Sans réfléchir, et sûr qu'il faisait une bonne affaire, Hervé se mit à tirer aussi sur le sac... qui résista tout autant.

– Que faites vous ? demanda une petite voix près d'eux.

Pierre-Marie leva la tête :

– Aide-nous, demanda-t-il à la fillette qui se tenait devant eux, et tu auras ta part.

– Du tout ! grogna Hervé. Nous n'avons pas besoin de toi. Ça ne te regarde pas. Fiche le camp d'ici.

Mais sous ses yeux ébahis, voilà que la fillette se transforma d'un coup en vieille femme. La vieille femme qui...

Hervé poussa un cri et se sauva en courant.

Reconnaissant la reine des Korrigans, Pierre-Marie soupira :

– Tout cela est de ma faute, entièrement de ma faute.

– Tu as raison, dit la reine, c'est de ta faute. Pourtant, tu n'es pas mauvais garçon. Bien des hommes ont échoué avant toi parce qu'ils perdaient du temps à vouloir ramasser trop d'or. Toi, tu as seulement oublié que le temps passe. Aussi, je te donne ce petit cadeau, pour te consoler.

Pierre-Marie prit le paquet que la reine des Korrigans venait de lui tendre et courut chez lui pour l'ouvrir... Hélas ! Il n'y avait là qu'un plat de bois.

Il soupira. Avec toute cette histoire, il n'avait pas pris le temps d'acheter à manger, et la faim le torturait. Bien sûr, il ne pouvait pas avoir de faisan ni de langouste, de fruit ni de gâteau, mais il avait assez d'argent pour un morceau de pain...

Pierre-Marie ouvrit des yeux ronds : voilà que dans le plat de bois étaient apparus des faisans et des langoustes, des fruits et des gâteaux, et un morceau de pain.

Il dit encore : des asperges et un cuissot de chevreuil... Ils débordèrent aussitôt du plat.

Pierre-Marie éclata de rire : à quoi bon l'or du sac, il avait là tout ce qu'il lui fallait, pour lui, pour sa femme quand il se marierait, pour ses enfants, pour tout le village !

– Merci ! cria-t-il en riant.

Il espéra que la reine l'avait entendu.

Jamais plus il ne la revit.

Le sac ? On dit qu'il est toujours sous le menhir. Si vous voulez y aller voir...

Les navets du recteur

En Bretagne, on appelle « recteur » le curé de la paroisse. Il est souvent un personnage d'histoires drôles.

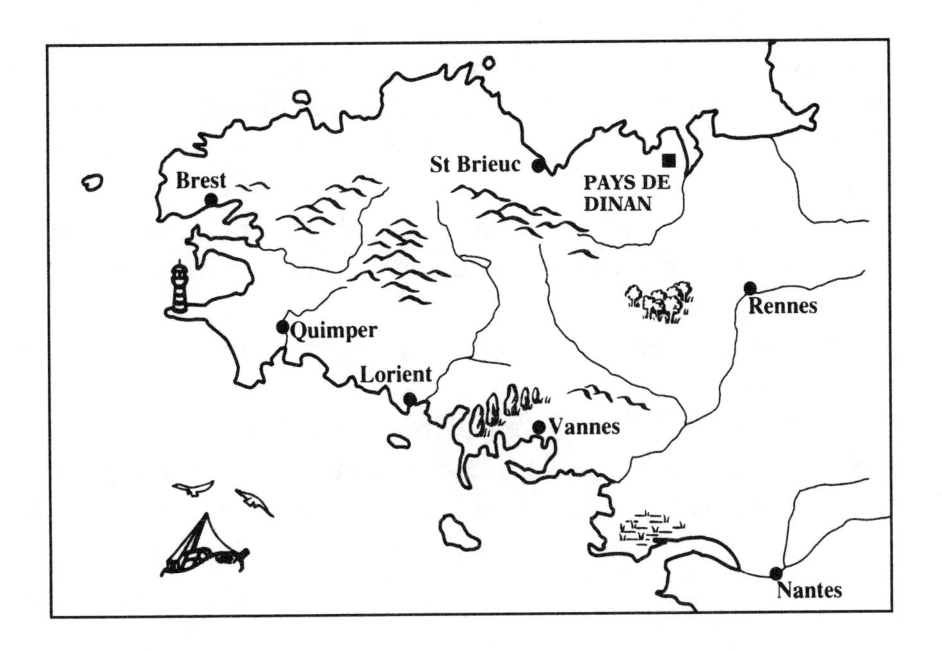

Le recteur de Plédéliac avait le plus beau potager de la région, il y cultivait les meilleurs légumes, les plus gros, les plus appétissants.

Aussi, le jardin du recteur faisait-il des envieux.

Quand un matin, pour la troisième fois de suite, le recteur trouva sa terre retournée et des navets arrachés, il se mit fort en colère. Comme on était dimanche, il monta en chaire d'un pas furieux et, commençant son sermon, il cria :

– Honte au voleur, qui profite du labeur des autres ! On m'a volé cette nuit encore plusieurs navets comme celui-ci...

Et en disant ces mots, il brandit à bout de bras un navet magnifique.

– Je les avais semés, je les avais sarclés, je les avais arrosés, et un autre veut les manger ! Mais il ne les mangera pas, car je vais lui envoyer celui-ci dans la figure !

Il regarda ses ouailles, et vit aussitôt Joseph se protéger

le visage de ses bras. Alors il lui lança le navet de toutes ses forces.

De ce jour, on fut sûr que le recteur était un peu devin, et plus personne n'osa toucher à ses légumes.

La Roche aux Fées

Les fées en Bretagne pouvaient être aimables ou très dangereuses. Les nuits de clair de lune, on les entendait chanter, peignant leurs longs cheveux, et alors, malheur à celui qui s'arrêtait et mêlait sa voix à la leur. On disait aussi qu'elles volaient les enfants des hommes.
Celles d'Essé, elles…

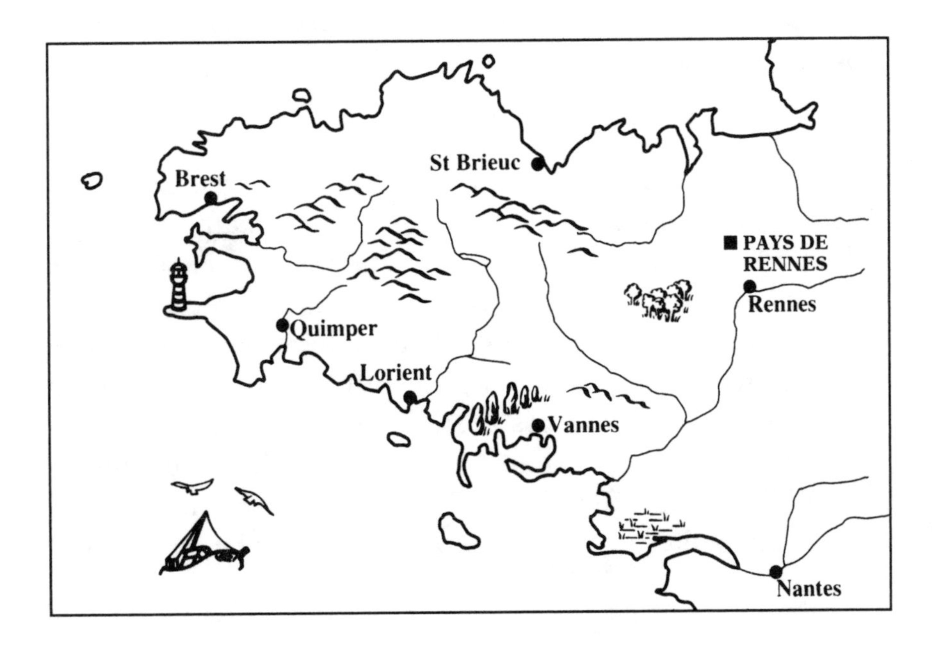

Près du bourg d'Essé, les fées avaient élu domicile. Elles avaient bâti une demeure d'énormes blocs de pierre, si solidement appareillés que pas un homme, jamais, ne put l'ébranler, et si un malheureux, passant par là, voulait en compter les pierres, il devenait fou, car il pouvait compter et recompter, il ne trouvait jamais deux fois le même nombre.

Cette demeure gigantesque existe encore ; on l'appelle la Roche aux Fées.

Sa construction remonte à la nuit des temps, alors que les fées étaient encore nombreuses dans nos campagnes.

Quand celles-ci décidèrent de s'établir dans la région, et de s'y construire une demeure, elles commencèrent par se partager le travail. Les unes allaient chercher les blocs de pierre dans la forêt du Theil, les autres bâtissaient, agençaient avec grand soin ces rochers gigantesques, que mille hommes n'auraient pu soulever, les plaçaient et déplaçaient jusqu'à ce que l'ensemble leur parût parfait.

Les fées qui étaient chargées du transport volaient par-

dessus champs et bois, portant les pierres dans leur tablier, et on disait même que souvent elles filaient leur quenouille ou cousaient tout en volant, pour ne pas perdre de temps. Comme elles allaient et venaient sans cesse, on eut très vite assez de pierres.

Un jour, comme elles s'en revenaient avec un lourd chargement, elles entendirent soudain qu'on leur criait, par-delà la forêt :

– De pierres il n'est plus besoin, notre demeure est terminée !

Elles étaient à cet instant nombreuses dans les airs, avec chacune une lourde charge dans son tablier. Que faire de toutes ces grandes dalles ? Par paresse de les ramener là où elles les avaient prises, elles les laissèrent tomber tout simplement à l'endroit où elles se trouvaient quand le message leur était parvenu[1] et elles rejoignirent aussitôt leur nouveau logis.

Mais du jour où les fées furent installées, il commença à se passer dans les environs des choses bizarres et inquiétantes.

D'abord, il fallait s'en méfier terriblement, et éviter surtout d'écouter leurs chants. Qui s'y laissait prendre ne revenait jamais. Mais il y avait pire encore : depuis que les fées étaient là, des enfants disparaissaient.

1. C'est pourquoi on trouve aujourd'hui dans toute la campagne environnante, jetés çà et là, de gros blocs de pierre ressemblant comme des frères à ceux de la Roche.

On avait entendu dire qu'il pouvait même arriver qu'on trouve un jour dans le petit lit un enfant maigrelet, bien différent de celui qu'on y avait laissé, car les enfants que les fées mettaient au monde étaient chétifs, et elles préféraient les échanger avec ceux des hommes, plus forts.

Les disparitions se passant toujours en l'absence des parents, on n'osait plus quitter des yeux les nourrissons.

Un jour, un paysan et sa femme apprirent qu'une fée rôdait aux environs, cherchant un nourrisson. Comme ils avaient un très jeune enfant, et fort beau, ils eurent peur pour lui, mais comment, quand on travaille aux champs, veiller de jour et de nuit ?

Donc, pour faire croire à la fée qu'il n'y avait plus personne à la maison, l'homme décida d'envoyer sa femme mener les vaches au pâturage. Lui, se cacha près du berceau.

Il n'eut pas à attendre longtemps : il entendit dans la cheminée le frôlement annonciateur de la fée qui descendait doucement, surveillant la pièce pour voir si l'enfant était seul.

Son inspection faite, la fée tenta sa chance. Elle bondit hors de la cheminée... et reçut sur le visage une casserolée d'eau bouillante.

Aveuglée, elle se mit à crier :

– Qui m'a fait ça ?

– C'est Moi-Même ! rugit l'homme fort en colère.

Affolée, la fée s'enfuit. Elle rentra vite sous la Roche. En la voyant si mal en point, ses compagnes s'inquiétèrent :

– Qui t'a fait ça ?

– C'est Moi-Même ! pleura-t-elle.

On jugea que cette fée était vraiment par trop maladroite... et c'est ainsi que le paysan échappa à la vengeance des fées.

Aujourd'hui, les fées n'habitent plus la Roche, mais les nuits de grand vent, on entend comme des plaintes, des plaintes qui – on le jurerait – viennent de la Roche aux Fées.

Les oreilles du roi Marc'h

Tout près de Douarnenez, se trouve la petite ville de Penmarc'h. On dit que son nom signifie soit « la tête de Marc'h » soit « la tête de cheval ». Pourquoi ?... Ecoutez plutôt.

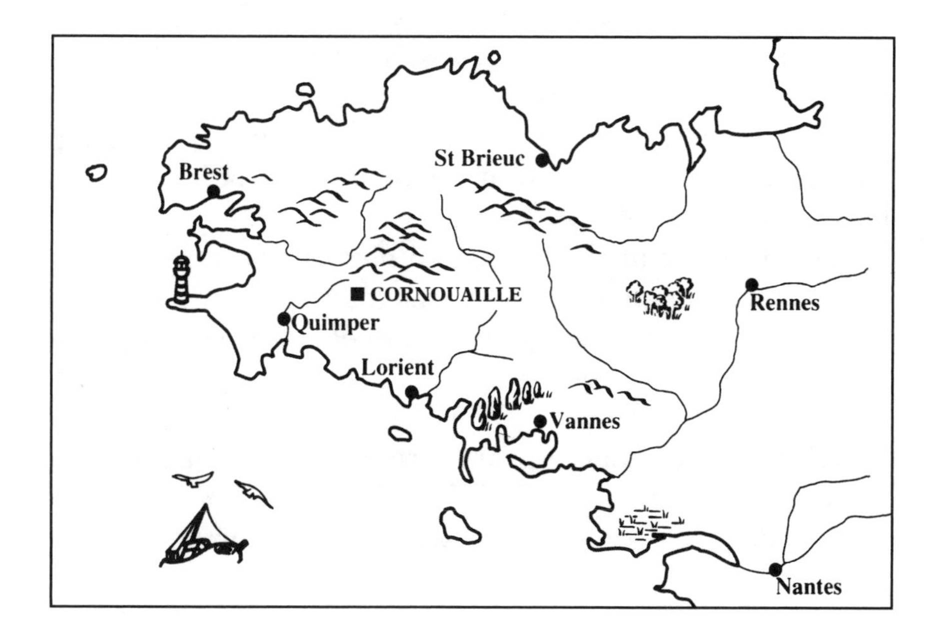

En ce temps-là, le Marc'h était roi de Cornouaille, pays du bout du monde, pays de mer et de vent.

Le roi de Cornouaille aimait beaucoup la chasse, et du matin au soir, on le voyait courir les landes et les bois.

Mais plus que la chasse, plus que tout au monde, le roi Marc'h aimait son cheval.

Il faut dire que c'était un cheval magnifique, entièrement noir, fin et musclé, si puissant que d'un bond il pouvait franchir les plus profonds ravins, les rivières les plus larges et on disait que, dans la boue des chemins, son galop était si léger qu'on ne voyait même pas la trace de ses sabots ferrés d'argent.

Il courait comme le vent, aussi bien sur la terre que sur la mer, nulle tempête ne lui avait jamais fait peur, il se riait des vagues, et c'est pourquoi on l'appelait Morvarc'h, c'est-à-dire en breton « cheval marin ».

Un jour d'automne, le roi Marc'h organisa une grande chasse, où il convia tous ses amis, les seigneurs du royaume et même ceux du royaume voisin. Le roi aimait ces mo-

ments intenses, où les chiens aboyaient, les chevaux piaffaient, les cœurs battaient. Quand la meute des chasseurs s'élança enfin, les cris et les galops résonnèrent jusqu'à des lieues à la ronde.

Les chasseurs coururent longtemps, cherchant la piste d'un sanglier, d'un cerf, mais hélas, ils ne virent même pas un lapin.

Découragés, ils allaient rebrousser chemin quand soudain, ils s'immobilisèrent. Dans la forêt, régnait un silence étonnant. Les chiens eux-mêmes semblaient impressionnés. Pas un n'aboyait, et ils n'avancèrent bientôt plus que d'un pas hésitant et apeuré. Et c'est alors que les chasseurs aperçurent au milieu d'une clairière une biche blanche, magnifique, une biche si belle que jamais on n'en avait vu d'aussi belle.

Aussitôt le roi Marc'h abaissa son bras et cria :

– Allez les chiens !

Et il lança son cheval vers la bête, entraînant les autres cavaliers. Pas un chien ne bougea.

La troupe des chasseurs filait derrière la biche qui bondissait maintenant entre les arbres, fuyant, fuyant si vite que les chevaux furent bientôt tout écumants de sueur.

Peu à peu leurs jambes mollirent, leur galop s'épuisa, ils durent s'arrêter.

Seul le cheval Morvarc'h courait toujours, sans relâche, poursuivant la biche par les collines et par les vallées, sur les rochers et sur le sable, et jusqu'au bout du royaume, et jusqu'au bout de leurs forces.

Enfin, voyant qu'elle arrivait à l'extrémité de la falaise, la biche tourna sa belle tête blanche vers le roi, l'œil suppliant. Mais Marc'h était trop heureux, si fier d'avoir vaincu. Il banda son arc et visa l'animal.

La biche recula encore un peu, s'affola, puis, d'un bond prodigieux, elle s'élança vers un rocher qui surgissait de la mer, au milieu des vagues blanches d'écume.

Le roi Marc'h fixa la bête : elle était encore à portée de flèche. Cette fois, il l'aurait ! Il ajusta son tir.

Les yeux de la biche se firent désespérés, et une larme roula sur son poil immaculé.

Mais le roi ne pouvait pas renoncer, c'était une trop belle prise, et il l'avait bien méritée. Il lâcha sa flèche et suivit sa course dans les airs, jusqu'à ce qu'elle atteigne sa victime en plein cœur...

Non ! – Marc'h ouvrit des yeux effarés – la biche avait saisi la flèche dans sa bouche, et elle la renvoyait vers le chasseur.

La flèche transperça le cheval.

Morvarc'h fléchit sur ses jambes, s'effondra, et tomba de la falaise dans la mer en furie, entraînant dans sa chute son cavalier.

Le roi Marc'h sortit péniblement de l'eau. Son regard était à la fois plein de chagrin et de colère : Morvarc'h ! Morvarc'h était mort !

Il sortit son couteau, se mit debout sur le rocher et visa le cœur de la biche... mais devant lui, voilà qu'il n'y avait plus qu'une jeune femme très belle, et il reconnut aussitôt la princesse Dahut, la fille du roi de cette merveilleuse ville d'Ys engloutie à tout jamais sous les flots.

– Roi cruel, dit la princesse. Tu n'as pas voulu épargner la biche, je ne t'épargnerai pas non plus. Puisque tu regrettes tant ton cheval, je vais t'en laisser quelque chose : désormais, tu porteras sa crinière et ses oreilles.

De sa main, elle frôla le corps du cheval qui flottait sur

l'eau et le ressuscita, mais il n'avait plus de crinière, et ses oreilles étaient devenues de ridicules petites oreilles d'homme. Sans regarder derrière elle, elle sauta sur son dos et s'en fut sur la mer.

Le roi Marc'h resta pétrifié sur son rocher.

Il regarda autour de lui et ne vit rien, sauf que la mer s'était maintenant calmée. Elle était immobile, lisse au point qu'il pouvait apercevoir son propre reflet dans l'eau, et c'est alors que ses yeux s'agrandirent d'effroi : à la place de ses oreilles, à la place de ses cheveux... il portait les oreilles et la crinière du cheval Morvarc'h. Et le vent, dans les falaises, se mit à siffler : *ouh... ouh.. le roi Marc'h a les oreilles du cheval Morvarc'h... le roi Marc'h a les oreilles du cheval Morvarc'h...*

Alors, retenant un sanglot, le roi Marc'h se boucha les oreilles très fort, et se mit à courir vers la forêt, vers le château, dans le soir qui tombait.

Et les arbres murmuraient : *Le roi Marc'h a les oreilles du cheval Morvarc'h.*

Et les oiseaux caquetaient : *Le roi Marc'h a les oreilles du cheval Morvarc'h.*

Le roi se blottit dans un buisson et se cacha la tête dans ses bras.

*
* *

Enfermé dans sa chambre, le roi Marc'h ne voulait voir personne. Comme nul ne savait ce qui s'était passé, on supposa que c'était le chagrin d'avoir perdu Morvarc'h qui minait le roi.

Pendant que les serviteurs s'interrogeaient à voix basse, le roi Marc'h tournait en rond dans sa chambre.

Chaque matin, il espérait qu'il avait été victime d'un cauchemar, et se précipitait vers son miroir. Hélas ! Chaque matin, il redécouvrait qu'il était bel et bien affublé d'oreilles de cheval, et pire... que sa crinière poussait ! Il fallait que personne ne sache, que personne ne découvre jamais son secret. Pourtant, il lui fallait faire son métier de roi. Il ordonna alors qu'on tende un lourd rideau rouge, derrière lequel il pouvait s'installer pour recevoir ses vassaux ou rendre la justice.

Mais il était dit que ses ennuis ne finiraient jamais, et vint le jour où sa crinière eut tellement poussé qu'il se prit les pieds dedans. Il ne pouvait pas rester comme cela : il lui faudrait appeler Yeunig, son coiffeur... Oui, mais si le coiffeur le voyait, il raconterait partout que le roi Marc'h avait des oreilles de cheval. Il faudrait donc le tuer, et Marc'h n'avait pas envie de tuer Yeunig. Il l'aimait bien et le connaissait depuis si longtemps !

– Faites venir un coiffeur du village ! cria-t-il à travers la porte.

Les jours et les mois passèrent et, au village, on commençait à s'inquiéter : le coiffeur de la place, d'abord, qui était allé au château et n'en était jamais revenu, et puis l'autre, celui du bout de la rue, et puis les deux du village d'à côté, et puis les vieux, et puis les apprentis... tout le monde avait disparu. Non vraiment, il ne faisait pas bon être coiffeur sur les terres du roi Marc'h ! D'ailleurs, aujourd'hui, des coiffeurs, il n'y en avait plus.

Le dernier coiffeur était mort, et la crinière continuait

d'allonger. Le roi dut se résoudre à faire venir Yeunig. Mais comment faire pour le garder en vie ?

– Écoute, dit-il à travers la porte, avant d'entrer, il faut que tu jures trois choses :

Premièrement, que tu n'auras pas l'air étonné ;

Deuxièmement, que tu ne riras pas ;

Troisièmement, que tu ne raconteras à personne ce que tu auras vu. Jure-le.

Yeunig jura.

Quand Yeunig vit le désastre, il resta de marbre. Il reconnaissait bien la crinière et les oreilles du cheval Morvarc'h, mais garda ses réflexions pour lui.

– Vous auriez dû m'appeler plus tôt ! soupira-t-il. Je possède des ciseaux magiques. Je vous couperai la crinière, et elle ne repoussera jamais... Mais d'abord, il faut jurer.

– Jurer quoi ?

– De ne pas me tuer.

– Naturellement, dit le roi.

– Jurez, insista Yeunig.

– Je jure de laisser la vie sauve à Yeunig.

Aussitôt, le coiffeur saisit ses ciseaux et coupa la crinière à ras, de manière à ce qu'elle ne repousse jamais.

Le roi fut d'abord bien soulagé, puis sombra de nouveau dans le désespoir, car on ne pense jamais bien longtemps à son bonheur...

Comme vous pouvez le supposer, le roi Marc'h se lamentait maintenant sur ses oreilles de cheval.

Yeunig avait juré, juré, juré ! Il ne dirait rien à personne. Pourtant, certains jours, ça le rendait malade de connaître un secret aussi important. Il avait envie de le crier, de le

chuchoter, de le siffler, ou même de le prononcer avec les lèvres, sans émettre un seul son, comme ça : *le roi Marc'h a les oreilles du cheval Morvarc'h...* Mais il n'avait pas le droit... PAS LE DROIT, car il avait juré.

Un jour cependant, Yeunig trouva son secret trop lourd : il courut au bord de la mer, sur la dune déserte, et creusa un trou dans le sable, un trou profond, étroit, juste pour y passer la tête.

Il enfonça son visage dans l'ouverture et cria :

– Le roi Marc'h a les oreilles du cheval Morvarc'h !

Puis vite, il reboucha le trou soigneusement et s'assit dessus. il se sentait mieux. Il écouta un moment dans le vent, dans le bruit des vagues, dans le chant des oiseaux, pour être sûr que le secret ne s'était pas échappé. Enfin, rassuré, il rentra au château.

Au printemps suivant, trois roseaux poussèrent à cet endroit.

*
* *

Deux années passèrent, deux années sans joie au royaume de Cornouaille. Et puis un jour, la belle Bleunwenn vint parler à son frère, le roi Marc'h. Elle se tint humblement de l'autre côté du rideau rouge de la grande salle, et lui dit :

– Mon frère, je sais que vous ne voulez voir personne, mais j'ai aujourd'hui une chose importante à vous demander : je veux épouser le seigneur Rivalen, roi du pays de Léon, que j'aime depuis longtemps. Je sais que vous ne vous opposerez pas à ce mariage, mais si je viens vous parler, c'est que c'est à vous, mon frère, en tant que chef de la famille et roi de Cornouaille, d'organiser la noce.

Elle se tut un moment pour écouter mais, comme aucune réponse ne venait, elle ajouta :

– Je sais que je vous mets dans l'embarras, vous qui ne voulez voir personne, mais je crois que vous me comprendrez.

Dans l'embarras, le roi ? Il était au désespoir ! Mais Bleunwenn la belle avait raison, il devait organiser la noce. Que faire ?

Il fait appeler Yeunig, le seul à qui il puisse se confier :

– Je serai obligé de me montrer, dit-il, comprends-tu ? Il s'agit de ma sœur... Donne-moi une idée, Yeunig, dis-moi comment je pourrais bien me tirer de ce mauvais pas !

Yeunig réfléchit un moment, et proposa :

– Je vais vous faire une coiffure originale, rabattre les oreilles en arrière et vous nouer autour de la tête un long tissu. J'en ferai plusieurs tours, avec des torsades et des nœuds, et cela dissimulera fort bien ces malencontreuses oreilles.

Le roi Marc'h fut si heureux et soulagé que, pour la première fois depuis son aventure, il éclata de rire.

Donc, tout étant décidé, on invita les seigneurs des environs, on convoqua cuisiniers, pâtissiers, tailleurs, cordonniers et décorateurs, pour que tout fût bien. Et puis aussi les menuisiers et les orfèvres, et enfin les musiciens.

Tout le monde se mit au travail.

La veille de la date fixée, tout était prêt. Tandis que les cuisiniers chauffaient leurs fourneaux et que les menuisiers finissaient de clouer les tables, les musiciens eurent droit, comme c'était la coutume, de se rendre aux cuisines, pour manger et boire tout ce qu'ils voulaient.

Las !

Les musiciens étaient pauvres gens, qui ne dînaient pas souvent à leur faim, et vous pensez bien qu'ils ne pouvaient laisser passer pareille occasion. Ils mangèrent, et rirent, et burent tant qu'ils en oublièrent de déposer des miettes de leur festin devant la cheminée.

C'était une grave erreur.

À minuit, quand le peuple minuscule des Korrigans pénétra dans le château, tout dormait. Chacun se précipita vers la cheminée, cherchant un morceau de gâteau, une tranche de rôti, une cuisse de poulet, un peu de crème... mais rien ! Ces malotrus de musiciens n'avaient rien laissé.

La colère gronda chez les Korrigans. Un tel manque de savoir-vivre les révoltait. La seule chose que les musiciens avaient laissé traîner dans la cuisine, c'étaient les bombardes et les binious. Eh bien tant pis pour eux !

Les Korrigans se précipitèrent sur les bombardes, et entreprirent de les démonter. Oh ! ils ne cassèrent rien, ils se contentèrent d'en subtiliser les anches. Puis ils défirent de la même façon les binious, détachèrent un par un les longs tuyaux qu'on appelle bourdons, et à chaque bourdon ôtèrent son anche de roseau.

Après quoi ils remontèrent le tout, et laissèrent les instruments comme ils les avaient trouvés.

Imaginez la tête des musiciens, le lendemain ! Ils avaient beau souffler, souffler... pas un son ne sortait. Quelle honte ! Quelle humiliation ! Quel désespoir !

On comprit vite que toutes les anches manquaient. La seule solution était de les remplacer tout de suite.

Aussitôt, les musiciens se précipitèrent vers les dunes et y coupèrent trois roseaux...

Ce fut un bien beau mariage, Bleunwenn en avait les larmes aux yeux. Son frère Marc'h avait le teint un peu pâle, mais il était toujours très beau, et ses yeux clairs étaient mis en valeur par cette magnifique coiffure que Yeunig, disait-on, avait inventée.

Le repas se finit dans la joie, et l'on s'apprêta à danser.

Alors, les musiciens se regroupèrent, fiers de jouer devant une si belle assemblée et, tous ensemble, soufflèrent dans leurs instruments.

Les invités en restèrent bouche bée. Au lieu de faire seulement de la musique, les binious et les bombardes chantaient aussi des paroles. Et les paroles disaient :

Le roi Marc'h a les oreilles du cheval Morvarc'h. Le roi Marc'h a les oreilles du cheval Morvarc'h.

À ce moment précis, la tempête se déchaîna, le vent s'engouffra dans la cour du château, souleva les nappes, balaya les fleurs et arracha la savante coiffure du roi Marc'h.

Et tout le monde le vit.

Tout le monde vit que le roi Marc'h avait des oreilles de cheval.

Le roi ne put supporter cette honte. Il s'enfuit en courant, les yeux pleins de larmes.

Il courut longtemps, longtemps, jusqu'à l'épuisement, jusqu'à la dernière falaise. Les yeux hagards, il contempla un moment les vagues qui s'écrasaient sur les rochers, en contrebas, puis il se laissa tomber dans la mer.

Pour tous, le roi Marc'h était mort. Pourtant, on dit que la princesse Dahut aurait eu pitié de lui, et c'est sûrement vrai, car, quelques années plus tard, on sait que le roi Marc'h régnait sur une partie de la Grande-Bretagne. Il

avait recueilli son neveu Tristan, fils de Bleunwenn et de Rivalen, et s'apprêtait à épouser la belle Iseult. Et, à ce qu'on sait, il n'avait plus ses oreilles de cheval.

L'alliance

Tout au long des côtes bretonnes, les femmes de marins passent leur vie à attendre, dans l'angoisse. Elles sont vêtues de noir, car elles sont toujours en deuil d'un père, d'un frère, d'un cousin que la mer leur a pris.

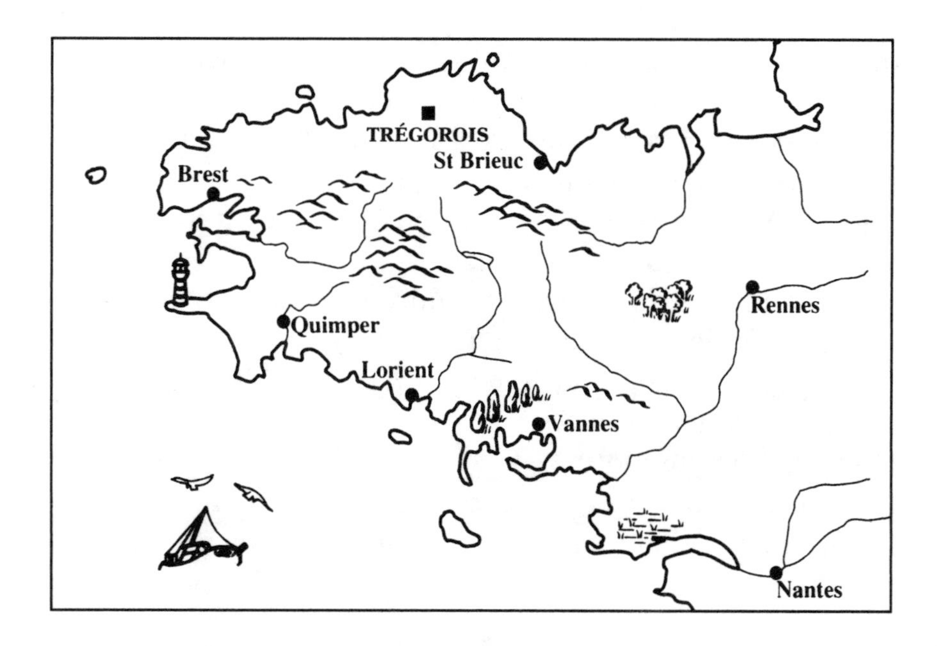

Bréhat, ses falaises et ses rochers de granit rouge, Bréhat découpée par la mer dans une langue de terre.

Une femme sur la falaise. Elle regarde au loin les récifs déchirés, luttant contre l'écume. Elle songe à son mari. Cela fait si longtemps qu'il est parti !

Parfois, les larmes lui viennent aux yeux. Elle ne veut pas que la mer le lui prenne, elle veut qu'il revienne, parce qu'elle l'aime, elle l'aime plus que tout au monde.

Ses voisines tentent de la raisonner :

– Rester sur la falaise, dans le vent et le froid, ne fera pas revenir ton mari plus vite, Marie.

Mais Marie Cornic n'écoute pas. Elle n'entend que le vent, et la mer. La mer et le vent.

– Rentre chez toi, Marie. Attendre n'est point bon. Il faut t'occuper et ne penser à rien.

Ne penser à rien, Marie ne pourrait pas. Son époux demeure au fond de son cœur, et elle ne sait que prier en l'attendant. Chaque matin, elle se rend à la messe, pour supplier Dieu de protéger son époux, chaque soir elle va sur la falaise, pour demander à la mer de le lui ramener.

– Tu aimes trop ton mari, lui dit sa mère, ce n'est pas raisonnable. Il faut savoir ne point trop s'attacher, pour supporter l'existence.

La mère le sait, elle qui a vu écrire sur le monument des « péris en mer » le nom de ses deux garçons en dessous de celui de leur père. Marie hoche la tête et ne répond pas.

Une nuit, Marie se réveille en sursaut au son des cloches.

Mon Dieu ! se dit-elle, *je suis en retard à la messe.*

Elle saute de son lit et s'habille vivement, puis elle court vers l'église. Elle ouvre la porte et s'arrête, stupéfaite : la nef est pleine de monde.

Marie a honte d'être arrivée si tard. Elle se glisse au dernier rang, près d'une femme qu'elle n'a jamais vue, et se joint aux prières. Mais peu à peu, elle se sent mal à l'aise : tant de monde dans l'église, malgré le froid et la nuit ? Le prêtre qui dit la messe, elle ne le connaît pas. Elle regarde autour d'elle, et ne voit pas un visage familier. Elle se sent un peu effrayée. Elle baisse la tête vers son missel, et se met à prier.

Mais bientôt, il se fait un mouvement dans l'église. On entend des bruits métalliques. Le quêteur ! Le bruit, c'est celui des pièces sur le grand plateau d'argent. L'homme qui fait la quête se fraye un passage à travers la foule, en criant :

– Pour l'Anaon[1] ! Pour l'Anaon !

Il approche de Marie. Il va être là.

Fébrilement, Marie fouille dans ses poches, mais elle ne trouve pas un sou : elle est partie si vite de chez elle, qu'elle a oublié ses pièces.

1. Anaon : les Âmes du Purgatoire

– Pour l'Anaon, répète le quêteur d'un air menaçant.

Marie se sent très malheureuse. Elle ne connaît pas ce quêteur, elle ignore qui il est. L'homme qui passe d'ordinaire avec le plateau ne lui ressemble pas du tout.

– J'ai... oublié de prendre de l'argent, souffle-t-elle.

– On ne vient pas à l'office sans obole pour les âmes défuntes, gronde le quêteur. Donnez ce que vous avez.

– Je... n'ai rien... bredouilla Marie morte de honte.

– Vous avez votre alliance.

Affolée, les mains tremblantes, Marie retire son alliance et la pose sur le plateau. Puis elle se sent faiblir. Elle tombe à genoux et enfouit son visage dans ses mains.

C'est ainsi qu'à six heures du matin, le recteur la trouve, agenouillée en pleurs dans son église.

– Que faites-vous ici, Marie ?

– Je... j'assiste à la messe, monsieur le Recteur...

Et à travers ses larmes, elle regarde autour d'elle : l'église est vide, il n'y a plus personne.

Alors, elle raconte au recteur ce qui est arrivé.

– C'est un mauvais rêve, console-t-il, nous allons retrouver votre alliance.

Et comme il se redresse, il voit que l'alliance est posée sur l'autel.

Sa main tremble un peu quand il la rend à Marie.

– Je vais prier, dit-il seulement.

Deux semaines plus tard, on apprit que le bateau sur lequel se trouvait l'époux de Marie avait disparu en mer, et qu'il n'y avait aucun survivant. Le naufrage s'était produit à l'heure de cette étrange messe. Et c'est au moment, sans doute, où le quêteur avait obligé Marie à déposer son al-

liance sur le plateau, que l'homme qu'elle aimait remettait son âme à Dieu...

La mort qui rôde donne un avertissement. C'est ce qu'on appelle « les intersignes ». On dit qu'en Bretagne, personne ne meurt sans qu'un de ses proches ne soit prévenu.

Jean l'Or

Dans les campagnes d'autrefois, où la misère et la famine régnaient souvent en maîtres, on rêvait de manger à satiété, de s'acheter de beaux vêtements, de posséder des terres fertiles... Ce rêve était inaccessible, sauf à découvrir un trésor.
Mais la morale veillait : on devient rarement riche en restant en paix avec sa conscience, et le prix à payer est souvent très lourd.
À Plougastel-Daoulas, on raconte...

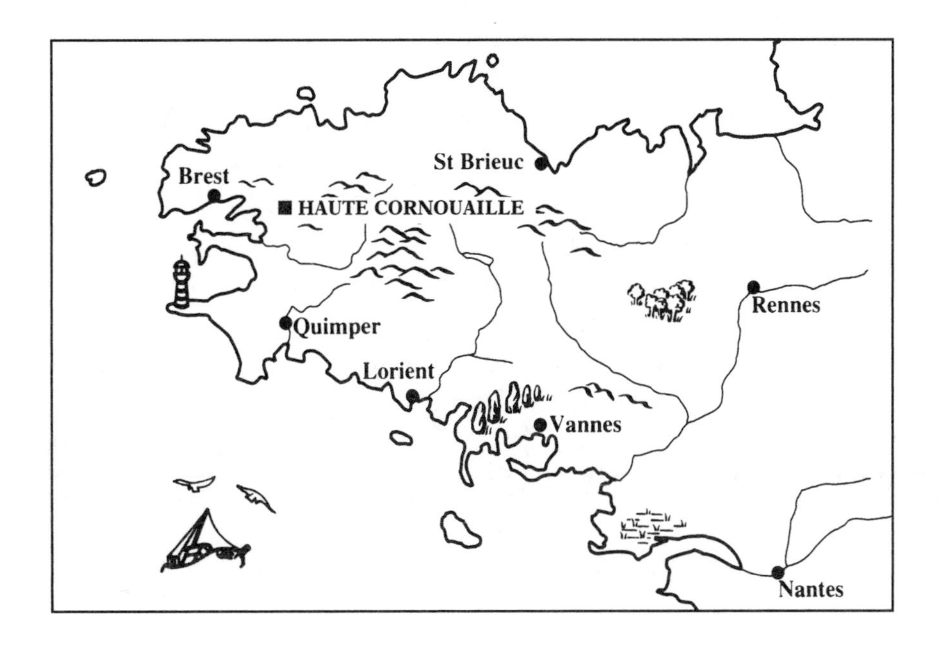

Jean se trouvait bien pauvre. Il labourait du soir au matin, semait, sarclait, fauchait, mais ce qu'il récoltait après tant de travail lui permettait tout juste de survivre. Jamais il n'arrivait à mettre le moindre écu dans la petite cache qu'il s'était aménagée sous la pierre de la cheminée.

Il voyait que sa vie ne passerait qu'à manger ce qu'il cultivait, et il rêvait d'autre chose.

Dans le pays, on disait que la frontière du royaume du diable n'était pas bien loin. Passé cette frontière, il poussait dans la terre des choses merveilleuses, mais bien sûr, il fallait se garder d'y toucher.

Ce sont sottises, se disait Jean, *un tel pays n'existe pas*.

Et tout en se répétant cela, il avait fort envie d'y aller voir. Juste voir, naturellement, sans y pénétrer. Un matin, il prit donc le chemin de l'inquiétant pays.

Il marcha longtemps, jusqu'à ce qu'il vît que le terrain changeait, et devenait sable.

Ainsi donc, voilà la frontière...

Histoire de se rendre compte, il s'arrêta juste au bord,

en prenant soin, bien sûr, de demeurer à l'extérieur. Il s'agenouilla, et se mit à creuser le long de la frontière.

Il ne réussit qu'à s'écorcher les mains, et à sortir du sol les mêmes cailloux que dans son champ.

Alors discrètement, il creusa un peu plus loin. La terre était moins dure. Un peu plus loin encore, ce n'était que sable souple, où ses doigts s'enfonçaient. Il sentit quelque chose de dur sous sa main, saisit et retira… un petit caillou d'or.

Tout autour, il en trouva d'autres, d'autres.

Plus on avançait, plus les pierres d'or étaient grosses...

Je regarde seulement, se disait Jean, *je ne prends rien.*

Puis il sortit un galet si lisse et doux qu'il hésita à le remettre en terre. Ce galet était chaud à sa main.

Si je le glisse sous ma chemise, pensa-t-il, *personne ne s'en apercevra.*

Il en découvrit un autre, d'une très jolie forme, qu'il eût été dommage d'abandonner, et qu'il cacha sous son bras.

Regardant derrière lui, Jean vit qu'il s'était bien avancé dans le pays du diable, et qu'il était grand temps de s'en retourner.

Il fit aussitôt demi-tour, mais une main à cet instant l'agrippa par l'épaule, enfonçant dans sa chair des ongles cruels. Il se sentit soulevé de terre.

Satan en personne !

– Ainsi donc, on veut s'en retourner sans payer. Ne sais-tu point que ce que tu viens de faire s'appelle du vol ?

– Je... je vais tout rendre...

– Trop tard ! ricana le diable en entraînant Jean.

– Que... qu'allez vous me faire ?

– Oh rien ! Juste t'ébouillanter pour te débarrasser de tes

saletés, puis t'étuver un peu, et ensuite te rôtir : mes chevaux préfèrent la viande qui a été étuvée avant d'être rôtie.

Le menton de Jean se mit à trembler. Il ne voulait pas servir de nourriture aux chevaux. Il regrettait sa faute. Oh ! comme il regrettait !

Il voulait s'enfuir, mais la main qui le tenait semblait de pierre.

Il fut jeté sur un cheval, et avant de pouvoir faire le moindre mouvement, avant de pouvoir faire le moindre projet pour s'échapper, il vit les portes de l'enfer qui s'ouvraient devant lui.

Le diable le poussa violemment vers le feu :

– Qu'on l'ébouillante !

Et deux démons se précipitèrent immédiatement pour l'emmener. Jean bredouilla une prière, mais il était trop tard...

Non... un petit diablotin arrivait, tout essoufflé :

– Attendez, Maître, s'écria-t-il, nous avons un problème : les chevaux viennent de manger le valet d'écurie, et nous n'avons pas d'autre valet disponible.

– Ah ! grogna Satan en réfléchissant.

Puis, désignant Jean du bout de son doigt crochu, il dit :

– Puisque celui-ci n'est pas encore bouilli, utilisons-le. Cela m'évitera de retourner en haut pour chercher quelqu'un d'autre.

Jean restait tout effrayé. Quand il comprit qu'il ne mourrait pas tout de suite, il reprit à peine espoir, car s'occuper des chevaux du diable ne semblait pas de tout repos.

Les chevaux du diable sont-ils si différents des autres ? se

demanda-t-il. *Là-bas, dans mon pays, je m'entendais bien avec les bêtes...*

En songeant à son pays, Jean sentit son cœur se serrer. Il se mit à regretter son champ, où il poussait plus de cailloux que de grain, sa vache, qui lui donnait si peu de lait, et même ces maudits lapins qui broutaient ses choux et le renard qui lui volait ses poules, et le coq qui chantait toujours trop tôt, et...

– Aux écuries ! tonna une voix effrayante.

Tout ira bien, se dit Jean, *tout ira bien...*

Et il jura de soigner si bien les chevaux, qu'ils n'auraient aucune envie de faire de lui leur repas.

Cela sembla réussir. Jean ne ménageait pas sa peine, et jamais chevaux ne furent mieux traités.

Le plus difficile, c'était que Jean devait dormir avec eux dans l'écurie, et il dormait fort mal, tant il avait peur de se faire dévorer pendant son sommeil.

Une nuit, il s'éveilla en sursaut. Un souffle chaud venait de lui effleurer la joue. Il bondit sur ses pieds.

– Calme-toi, dit le cheval, je ne te veux pas de mal. Moi aussi, le diable m'a enlevé au pays des hommes... rappelle-toi, c'est sur mon dos que tu es venu ici.

Jean ne se rappelait pas : il avait à peine eu le temps de comprendre qu'il voyageait sur le dos d'un cheval.

– Je regrette bien le pays des hommes, continuait le cheval, où j'avais du foin tout mon saoul. La viande rôtie, je n'aime pas ça. Si tu veux, enfuyons-nous tous les deux.

– S'enfuir d'ici ? Comment pourrions-nous ?

– Satan a fait seller son cheval noir. C'est son préféré. Cela signifie qu'il compte aller faire le tour de ses terres demain matin. Profitons-en.

– Je n'ai aucune arme...

Le cheval se mit à rire :

– Et à quoi te servirait une arme contre le diable ? Prends plutôt le baquet où tu puises de l'eau pour nous, l'étrille et la brosse.

Le lendemain matin, dès qu'il entendit les sabots du cheval noir s'éloigner, loin au-dessus de sa tête, Jean sauta en selle.

Aussitôt, le cheval prit le galop.

Il courut, courut vite et longtemps, si vite et si longtemps qu'il en était tout écumant.

C'est alors que Jean s'aperçut que le chemin de l'enfer était très court quand on y entrait, mais très long quand on voulait en sortir. Pour le soir, ils n'étaient pas encore arrivés à la frontière du pays du diable.

Quand il vit que le soleil déclinait, le cheval cria à Jean :

– À cette heure-ci, Satan est rentré chez lui. Regarde derrière toi.

Jean se retourna :

– Rassure-toi, je ne vois rien.

Comme le soleil allait se coucher, le cheval avertit :

– Jean ! À cette heure-ci, Satan est en train de s'apercevoir de notre fuite. Regarde derrière toi.

– Rassure-toi, il n'y a rien.

Bientôt le rouge s'éteignit dans le ciel.

– Jean ! À cette heure-ci, Satan doit nous poursuivre. Regarde derrière toi.

– Rass... Oh ! Je vois un nuage de poussière.

– C'est LUI ! Jette vite le baquet d'eau !

Jean fit ce qu'on lui disait, et voilà que le baquet déversa tant d'eau qu'un lac se forma derrière eux.

Le diable craint l'eau, c'est bien connu, c'est pourquoi aucun démon ne s'occupe jamais des chevaux, de peur de se faire éclabousser en portant le baquet.

Satan perdit beaucoup de temps à contourner le lac, et les deux fuyards se crurent sauvés. Mais le chemin malheureusement était encore long.

– Jean, vois-tu quelque chose ?

– ... Oh oui ! Je vois le diable à nouveau à nos trousses.

– Vite, jette la brosse !

Aussitôt dit, aussitôt fait. Les poils de la brosse se mirent à pousser, à pousser si haut et si dru, en une forêt si dense, que pas un cheval ne pouvait y courir. Le cheval du diable se faufila avec difficulté, s'écorchant sans cesse aux branches, n'avançant qu'avec peine.

– Jean, vois-tu quelque chose ?

– Voilà que le diable débouche déjà au coin du bois, et arrive sur nous !

– Dépêche-toi de jeter l'étrille !

L'étrille tomba sur le sol, se gonfla, se gonfla en une si haute montagne, pleine de pics si pointus, que le cheval du diable épuisa ses forces à grimper et descendre, et regrimper et redescendre.

– Jean, est-ce que le diable nous poursuit toujours ?

– Je le vois qui descend la dernière pente. Cours, cheval, cours ! Là-bas, je vois les champs verts de chez nous. Cours cheval, cours ! Là-bas je vois une chaumière, avec la fumée qui sort de la cheminée. Cours, cheval, cours ! Je vois une écurie, et le foin dans la mangeoire. Cours, cheval... Ah ! le diable est sur nous.

Le diable tendit ses griffes, agrippa la queue du cheval

de Jean... et poussa un hurlement de dépit : seuls quelques crins lui étaient restés dans la main, les crins du bout de la queue qui se trouvait encore sur son territoire. Le cheval, lui, était passé de l'autre côté de la frontière.

De ce jour, la vie changea pour Jean. Curieusement, il se mit à trouver le goût de son pain bien bon, et la chaleur de son feu bien douce. Et surtout, lui qui avait vu l'enfer, il se jura bien de faire en sorte de ne jamais y retourner.

L'âne du Jaguen

Encore une histoire de Saint-Jacut, racontée cette fois par les gens de Saint-Cast.

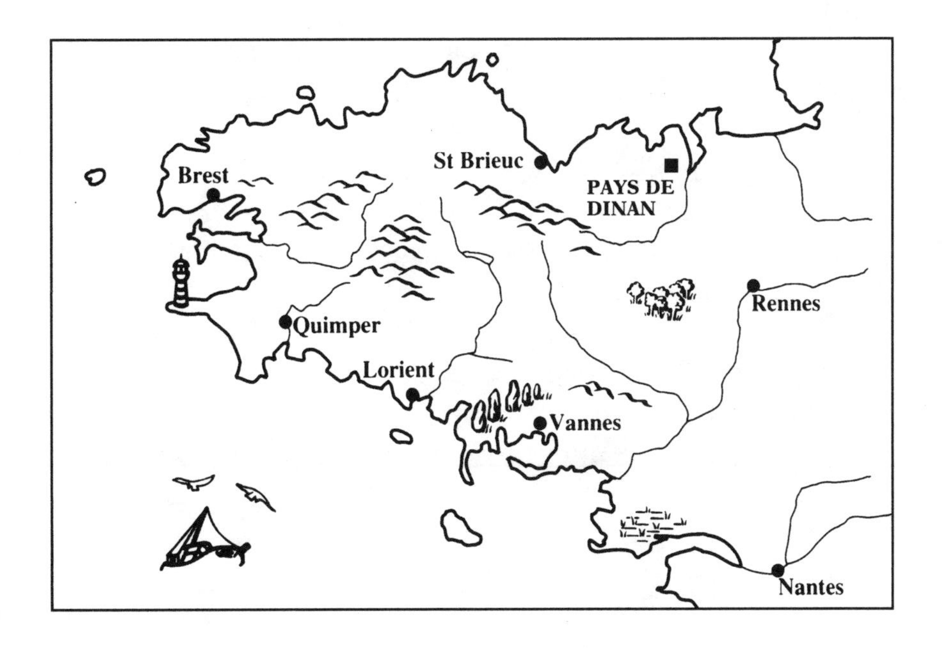

À Saint-Jacut-de-la mer, vivait un homme ni très riche ni très pauvre, mais qui cultivait ses champs avec tant de soin, qu'il récoltait toujours plus d'orge qu'il ne lui en fallait pour nourrir sa famille.

Cette année-là, la récolte ayant été très bonne, il dit à son fils :

– Il y a trop d'orge au grenier. Pas la peine de le garder, va-t'en donc vendre le surplus au marché de Saint-Malo.

Mais comme le gars rechignait à faire le déplacement, le père ajouta :

– Tout ce que tu gagneras sera pour toi.

Cela décida bien vite le garçon. Il voyait déjà tout ce qu'il pourrait s'acheter avec l'argent, et était bien pressé d'être au lendemain.

Par ma foi, songea-t-il, *il faut que j'arrive à être le premier sur le marché, pour tâcher de vendre un bon prix !*

Il réfléchit au meilleur moyen d'y parvenir, et conclut que pour être le premier, il fallait qu'il prépare tout dès le soir d'avant.

La veille du marché, il versa donc l'orge dans un sac, et

le chargea sur son âne. Puis il attacha l'âne devant la maison, prêt à partir, et s'en fut dormir.

Dès les premières lueurs de l'aube, le garçon sauta à bas du lit, où il s'était couché tout habillé, et prit l'âne par la bride.

Mais le pauvre âne, qui était resté toute la nuit avec sa charge sur le dos, se sentait déjà bien fatigué.

– Vas-tu avancer, donc ! criait le garçon.

Cela ne servait de rien, l'âne allait lentement, il ne pouvait pas mieux.

– A-t-on idée, dit le garçon, d'être fatigué d'aussi bonne heure ! Bon, puisqu'il le faut, je vais porter moi-même le sac, ainsi, tu ne pourras pas te plaindre.

Et il mit le sac d'orge sur son dos. Puis, s'avisant que l'âne n'avait plus rien à porter, il pensa :

Puisque maintenant il n'a plus rien sur le dos, je pourrais tout aussi bien y monter.

Il se hissa avec son sac sur l'âne, et fut bien étonné : c'était encore pire qu'avant, l'âne n'avançait plus du tout.

Cet âne est une bourrique ! se dit le garçon. *Je vais le laisser là, si ça continue !*

Il redescendit en grognant, et se mit à marcher en portant son sac.

Il voyait le soleil tourner et l'heure passer, et songea qu'à cette allure de tortue, il n'arriverait pas assez tôt au marché pour faire de bonnes affaires. Et en plus, il lui sembla que jamais Saint-Malo ne s'était trouvée aussi loin !

Ce n'est pas vraiment que Saint-Malo avait reculé, c'est plutôt que notre gars s'était trompé de route, et qu'il avait pris celle de Dinan.

C'est ainsi qu'au milieu de la matinée, on le vit arriver à

Dinan. Les gens de là-bas n'ont pas leurs pareils pour se moquer des Jaguens (les habitants de Saint-Jacut).

Sur le port, des calfats[1] qui faisaient fondre du goudron, trouvèrent au Jaguen un air de benêt, et ils ne résistèrent pas au plaisir de le taquiner :

– Oh ! Tu parais bien pressé, mon gars !

– C'est que moi je suis pressé, répondit le garçon, mais mon âne, il ne l'est pas du tout. Pourtant, à cette heure, il ne porte plus rien, et c'est moi qui porte tout.

Les calfats se mirent à rire :

– Moi, dit l'un d'eux, je sais faire marcher un âne qui ne veut pas.

– Ah ?... Si c'était de votre bonté de m'apprendre...

– Si tu me donnes cinq sous, mon gars, je veux bien.

– Ma foi, si ce n'est que pour les cinq sous, les voilà !

Le calfat prit l'argent que lui tendait le garçon, puis, avec la grande cuillère qui lui servait à remuer le goudron, il envoya une giclée brûlante au derrière de l'âne.

La pauvre bête se mit à galoper comme une folle. Le garçon voulut lui courir derrière, mais il était trop chargé :

– Cette bête file trop vite pour moi, gémit-il.

Puis, se tournant vers les calfats, il demanda :

– Est-ce que ce serait de votre bonté de faire aussi de votre magie sur moi ?

– Bien volontiers, mon gars, ça fera juste encore cinq sous.

Et l'affaire conclue, le calfat envoya une giclée de goudron sur le derrière du garçon, qui détala en poussant des cris.

1. Ils font le calfatage, en bouchant à l'étoupe tous les interstices de la coque du navire, puis l'enduisent de goudron.

Le Jaguen retrouva bientôt son âne, mais le maudit animal avait déjà renversé tout le marché, et le pauvre gars n'eut plus qu'à vendre son orge pour payer les dégâts.

Il rentra chez lui au soir, bien fatigué.

Fatigué ? Mais pourtant, il était rentré chez lui plus léger qu'il n'était parti : il s'était débarrassé de l'orge et de dix sous. Allez comprendre !

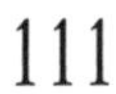

Comorre

Cette histoire était contée il y a plusieurs siècles déjà, car on en a retrouvé trace dans les textes anciens de la région de Vannes.

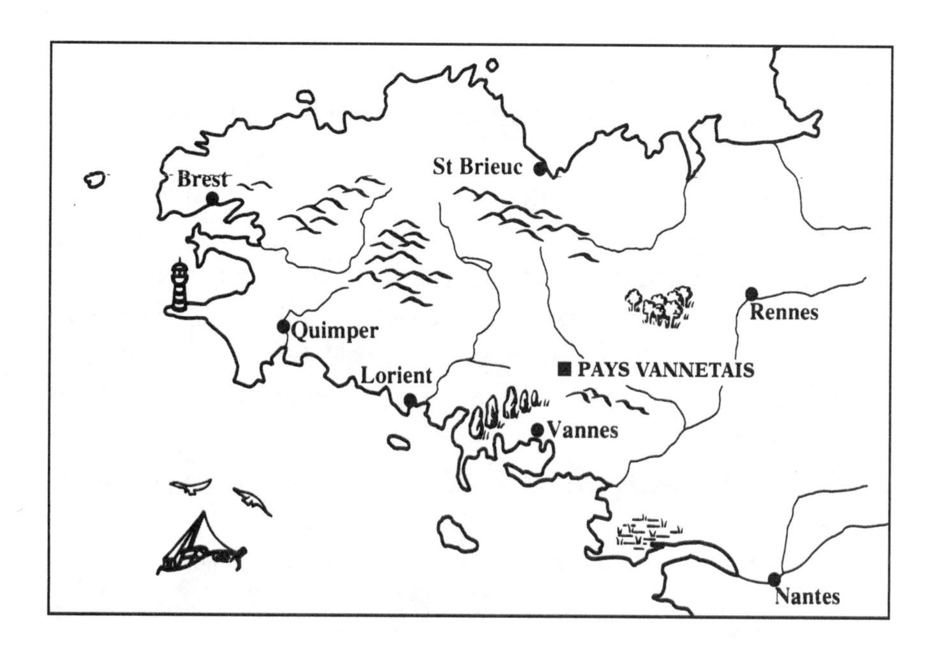

La belle Trifine pleurait silencieusement dans sa chambre. Le bruit venait de parvenir au château que le prince Comorre était tombé amoureux d'elle, et qu'il voulait l'épouser.

Comorre régnait sur le haut pays, qu'on appelait le pays du blé noir. Sa richesse était immense, sa cruauté aussi. On disait qu'il tuait pour s'amuser les paysans qu'il rencontrait sur son chemin et frappait ses valets jusqu'au sang. Et surtout, le prince Comorre avait déjà eu quatre femmes.

Trifine, la très jolie fille du comte Waroch, n'avait nulle envie d'être la cinquième femme du prince, d'autant que les quatre précédentes avaient disparu de manière étrange. Leur mort, prétendait-on, n'avait rien de naturel et Waroch, qui était comte de Vannes, pays du blé blanc[1], ne se souciait pas de donner sa fille à pareil personnage. Il refusa donc tout net.

Mais rien chez les Grands n'est si simple, et les menaces

1. Le nom breton de Vannes est Gwened (Gwen ed signifie blé blanc).

de Comorre se firent pressantes : il rassemblait son armée pour la mener vers les terres du comte Waroch.

Trifine était désespérée. Elle refusait ce mariage, et en même temps, elle sentait bien qu'elle y serait contrainte, qu'il lui faudrait se sacrifier pour que son peuple ne soit pas massacré.

Elle alla trouver son père pour le lui dire.

– Que me contez-vous, ma fille ? s'écria-t-il effrayé. Je préfère de loin une guerre, au malheur de vous savoir entre les mains de ce monstre !

– Bien des innocents seront tués, répondit Trifine, pour sauver ma simple vie. Cela vous paraît-il juste, mon père ?

Mais le comte ne voulait rien entendre.

La menace, aux frontières du pays, se faisait plus forte. Déjà les armées de Comorre commençaient à brûler les récoltes, et tout le nord du pays était en feu.

– Je vous en prie, mon père, supplia Trifine, il faut prendre une décision. Si vous le voulez bien, consultons un homme sage qui saura nous conseiller. On dit qu'un saint nommé Gildas a traversé la mer pour venir d'Irlande, avec pour bateau son seul manteau[1]. Lui peut nous donner un avis impartial et juste.

Le comte Waroch se résolut à appeler saint Gildas, et celui-ci parut immédiatement, tout couronné de lumière.

– J'ai vu les armées, dit-il au comte Waroch, et je crains que votre fille n'ait raison. Je ne puis, hélas, que vous

1. Dans la tradition bretonne, la plupart des saints sont venus d'Irlande, en traversant la mer de manière miraculeuse, le plus souvent dans une auge de pierre.

conseiller de la donner à Comorre, si vous voulez éviter le massacre de votre peuple.

– Je ne puis m'y résoudre.

Le saint réfléchit, puis proposa :

– Faites auparavant jurer au prince de ne jamais attenter à la vie de Trifine.

– La parole d'un tel homme a-t-elle quelconque valeur ?

– Peut-être puis-je vous aider, ajouta Gildas, en veillant sur elle.

Et, se tournant vers Trifine, le saint homme lui posa dans la main une bague toute simple :

– Je te donne cet anneau blanc comme neige, mon enfant. Ne l'ôte jamais de ton doigt. Si un malheur était suspendu au dessus de ta tête, si ton mari nourrissait de noirs desseins, cet anneau te préviendrait, en devenant aussi noir que le corbeau.

La mort dans l'âme, le comte Waroch dut se résoudre au pire, et consentir au mariage de sa fille avec le prince Comorre.

Bien sûr, le prince ne fit aucune difficulté pour promettre de ne pas toucher un cheveu de Trifine, mais cela ne rassurait guère le comte, et c'est avec grand tourment qu'il la vit partir à la suite de son époux vers le pays du blé noir.

Les premiers temps du mariage se passèrent assez bien : Comorre n'était pas si brutal qu'on le disait. On murmurait que c'est parce qu'il était amoureux de sa femme, ce qui est bien possible.

Enfin, Trifine commençait à reprendre confiance, lorsque l'assemblée des princes bretons fut convoquée à Rennes.

L'assemblée durait toujours plusieurs mois, et Comorre

hésitait à laisser sa femme seule si longtemps mais, comme telle était la coutume, il partit tout de même.

Pendant son absence, Trifine redevint presque gaie. Le château ne lui paraissait pas si terrifiant, et elle aimait à se promener dans le parc.

Chaque jour, elle allait prier sur les tombes des quatre femmes mortes, en leur demandant de la protéger ; elle pensait que c'étaient peut-être ses prières qui avaient adouci les mœurs de Comorre. Elle se disait qu'on avait beaucoup exagéré la cruauté de son mari, et elle se mit à avoir confiance en lui.

Maintenant, elle avait grand-hâte qu'il revienne, car elle était sûre que la nouvelle qu'elle allait lui annoncer l'attacherait définitivement à elle : elle attendait un enfant.

Enfin, au bout de six mois, on fêta à grands coups de trompe le retour de Comorre.

Trifine se précipita au-devant de son seigneur et lui fit mille joies. Lui semblait aussi très heureux de la revoir. On eut dit le meilleur et le plus aimant des couples.

Trifine laissa passer le banquet. Pour parler à son seigneur, elle voulait qu'ils soient seuls.

Quand ils furent montés dans leur chambre et que les valets eurent quitté la pièce, Trifine posa sa main sur le bras de son époux :

– Mon ami, dit-elle, j'ai grande joie à vous annoncer que vous aurez bientôt un fils.

– Un fils ! cria Comorre en se levant d'un bond.

Trifine se sentit toute décontenancée.

– Un fils, répéta-t-elle avec douceur.

Le visage de Comorre lui sembla soudain terrifiant. Elle y lut la tension, la violence. Elle se mit à trembler.

Ne sachant plus que penser, que dire, quelle attitude prendre, elle baissa la tête. C'est alors que ses yeux se fixèrent sur ses mains et s'agrandirent d'effroi : à son doigt, la bague était devenue noire.

– Excusez-moi, doux seigneur, souffla-t-elle rapidement, mais je n'ai pas eu le temps ce soir de dire mes prières. Aussi, laissez-moi descendre un court instant à la chapelle, pour me mettre en paix avec mon âme.

Elle avait grand-peur que Comorre ne s'y oppose, mais il semblait si préoccupé qu'il ne la vit même pas sortir.

Trifine courut jusqu'à la crypte où étaient enterrées les quatre femmes de Comorre, et elle se jeta en pleurs sur les dalles de pierre :

– Qu'ai-je fait pour mériter le courroux de mon seigneur ? Qu'ai-je fait ?

Et comme les douze coups de minuit sonnaient, elle vit avec terreur les quatre tombes s'ouvrir, et quatre fantômes apparaître. Affolée, elle allait s'enfuir, quand une voix lui dit :

– N'aie pas peur, nous ne sommes pas tes ennemies, nous sommes tes amies.

Trifine s'effondra en larmes.

– Oh ! si vous êtes mes amies, dites-moi pourquoi cette colère dans les yeux de mon prince.

– Nous avons vu la même colère, dans ces mêmes yeux, quand nous lui avons annoncé que nous attendions un enfant de lui.

– Seigneur Dieu... Pourquoi ?

– C'est qu'on lui a prédit qu'il mourrait de la main de son premier fils.

– Dieu de bonté ! Cela signifie qu'il va me tuer.

– Il est encore temps de t'enfuir, Trifine.

Mais Trifine sanglotait :

– Comment m'enfuir ? Le chien de garde m'aura dévorée avant que j'aie traversé la cour.

– Prends ce poison, dit la première morte. C'est celui qui m'a tué. Tu le lui donneras.

– Mais comment franchir le mur d'enceinte ?

– Prends cette corde, dit la deuxième morte. C'est celle qui m'a étranglée. Tu te laisseras glisser le long de la muraille.

– Il fait si noir, comment voir mon chemin ?

– Prends cette flamme, dit la troisième. C'est celle qui m'a brûlée. Elle éclairera ta route.

– J'aurai si peur...

– Prends ce bâton, dit la quatrième, c'est celui qui m'a assommée. Il te défendra contre les brigands et les bêtes sauvages.

*
* *

– Où est mon épouse ? cria Comorre.

– Nous ne l'avons point vue, seigneur.

– Allez regarder dans la chapelle.

– Elle n'est nulle part, seigneur. Mais nous avons trouvé le chien empoisonné et une corde pendant hors des murailles.

Fou furieux, le prince monta à la plus haute tour et scruta les quatre horizons. Il se tourna du côté de midi, et vit un goéland. Il regarda vers le couchant, il n'y avait qu'une hirondelle. Du côté de minuit, un corbeau. Vers le soleil le-

vant, il aperçut une tourterelle. C'est par là que sa femme était partie, il l'aurait juré !

Il sauta sur son cheval et s'enfuit à bride abattue. Le jour venait juste de se lever.

À ce moment précis, Trifine reconnaissait au loin les tours du château de son père. L'espoir revint en son cœur. Pourtant, elle se sentait épuisée, les douleurs la tenaillaient. Elle dut s'arrêter dans une clairière, et mit là son enfant au monde.

Pendant qu'elle l'enveloppait dans son manteau pour qu'il ne prenne pas froid, elle vit un faucon au collier d'or se percher sur une branche, et reconnut immédiatement le faucon de son père.

– Viens, appela-t-elle. Viens, si tu es mon ami.

D'un grand coup d'aile, le faucon s'approcha.

Alors, rapidement, elle lui passa autour de la patte son anneau, qui demeurait tout noir :

– Va vite ! Va vite près de mon père, montre-lui cet anneau, ramène-le vers moi.

Elle n'avait pas fini ces mots qu'elle entendit le galop d'un cheval sur le chemin. Elle saisit vivement son enfant et le cacha sous un buisson, tandis que l'oiseau s'envolait.

En apercevant sa femme dans la clairière, Comorre poussa un rugissement de bête fauve. Il lança son cheval, leva son épée et, en passant près d'elle au grand galop, d'un coup violent il lui coupa la tête.

Et puis, sans regarder en arrière, il regagna son domaine.

Pendant ce temps, au château de Waroch, les serviteurs

stupéfaits aperçurent un faucon qui entrait par une fenêtre ouverte, juste dans la chambre du comte.

Il ne se passa que le temps de dire un miserere[1] : déjà Waroch était dans la cour, son cheval sellé.

– Qu'on me mande Gildas, ma fille est en danger ! cria-t-il.

Et le galop de son cheval résonna tout aussitôt sur le pont-levis. Il venait de s'élancer derrière le faucon.

Quand saint Gildas arriva dans la clairière, il trouva le comte Waroch effondré, pleurant sur le corps sans vie de sa fille. Dans ses bras, il tenait l'enfant.

– Ne pleurez point, dit le saint.

Puis, se tournant vers Trifine, il ordonna à la jeune femme :

– Prends ta tête et ton enfant, et suis-nous au château de Comorre.

Alors on vit cette chose incroyable : Trifine se releva, saisit sa tête par les cheveux, et la glissa sous son bras, tandis que le saint déposait l'enfant sur son autre bras.

Ce fut un étrange cortège. Les serviteurs suivaient, si effrayés qu'ils laissaient Waroch et les siens marcher loin devant.

De là où ils se tenaient prudemment, ils virent que le comte, sa fille et le saint s'arrêtaient à la porte du château, dont le pont-levis avait été remonté. Puis ils entendirent saint Gildas prendre la parole. D'une voix forte, il cria :

– Comorre, nous te ramenons ta femme telle que ta méchanceté l'a faite et ton fils, tel que Dieu te l'a donné. Accueille-les.

1. Autrefois, on ne comptait pas en minutes et en secondes. On disait « le temps de dire... » ou « le temps de faire... ».

Rien ne bougea dans le château.

Alors, le saint répéta son ordre.

– Comorre, nous te ramenons ta femme telle que ta méchanceté l'a faite et ton fils, tel que Dieu te l'a donné. Accueille-les.

Comme aucune réponse ne venait, le saint lança son ordre une troisième fois.

Le silence.

– Trois fois, lança le saint, je t'ai enjoint d'accueillir ta femme et ton fils, trois fois tu es resté sourd. Que la volonté de Dieu s'accomplisse.

Et disant ces mots, saint Gildas saisit entre ses mains la tête de Trifine, et la remit en place. Et tout le monde vit qu'elle était de nouveau tout comme auparavant.

Saint Gildas prit l'enfant sur son bras, et le posa à terre. Et tout le monde vit qu'il marchait déjà.

D'un pas assuré, l'enfant s'approcha des douves, ramassa une poignée de terre, et la lança sur le pont-levis fermé.

Aussitôt l'air entra en mouvement, les murailles se mirent à trembler, les toits à tanguer, les pierres à se desceller, et le château s'effondra doucement, ensevelissant à tout jamais le prince Comorre.

Ainsi, la prophétie s'accomplit, car nul ne peut aller contre ce qui est écrit... C'est du moins ce que dit la légende.

Le boulanger

C'est dans un sermon prononcé en Bretagne au XVe siècle, qu'on a trouvé mention de cet étrange récit. Cette version en est une adaptation.

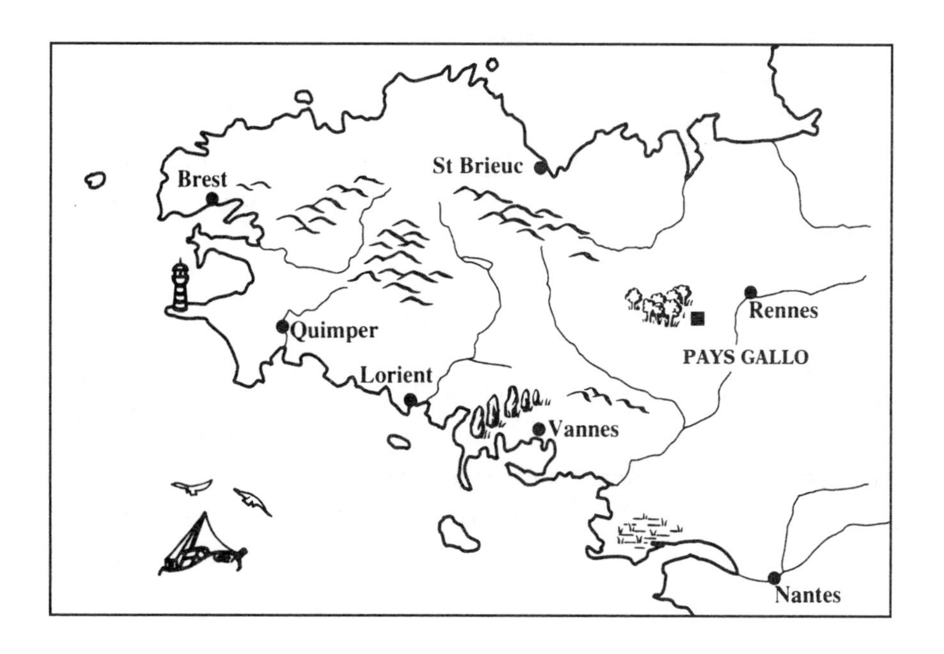

Cette année 1432, jamais je ne l'oublierai, et quand la mort viendra me tirer par les pieds, je vous le dis solennellement, je suis sûr qu'elle me trouvera dans mon lit, avec la terreur toujours au fond des yeux.

Cette année-là, dans mon village, le boulanger vint à mourir subitement.

Naturellement, sa femme et ses enfants le pleurèrent, le pleurèrent jusqu'à ce qu'il soit en terre. Mais, dans un village, le pain ne peut manquer longtemps, il leur fallut donc se remettre à l'ouvrage.

Dès que le mort fut enterré, la boulangère et ses enfants ôtèrent leurs vêtements de cérémonie et se préparèrent à pétrir la pâte. Or, voilà qu'au milieu de la nuit, sans qu'ils aient entendu un bruit, le boulanger apparut entre eux, retroussa ses manches et se mit à pétrir aussi.

La boulangère lança des regards affolés à ses enfants. Est-ce qu'ils voyaient bien la même chose qu'elle ?

Le mort, comme si de rien n'était, continuait son travail. Eux, restaient là, suffoqués, à le contempler. Alors, les voyant bouche bée, il cria :

– Eh bien, fainéants ! Croyez-vous que le pain va se faire tout seul ? Au travail, que diantre !

C'est à ce moment-là que l'affolement les gagna. La boulangère sortit en hurlant, et ses enfants se précipitèrent derrière elle. Leurs jambes tremblaient tellement qu'elles pouvaient à peine les porter. En entendant les cris, tous les voisins accoururent. Mais ils ne virent rien : le bruit avait chassé le mort.

La nuit suivante, le boulanger revint. Et la nuit d'après, et toutes les nuits. Nul n'osait manger le pain, et on ne vendait plus rien. Alors, le mort se mit à rôder autour des maisons, et à lancer des pierres aux gens qu'il rencontrait.

Dès que minuit avait sonné, il sortait du cimetière et se dirigeait vers la boulangerie. Il évitait la route, passant toujours à travers champs, par les endroits les plus boueux, si bien qu'il était crotté jusqu'aux genoux, et de plus en plus sale au fil des jours.

Plus personne ne se risquait à sortir, de peur de le rencontrer, et la boulangère ferma boutique pour le décourager. Mais malgré tout, il était là chaque nuit, à travailler comme autrefois.

On se demanda soudain si celui qui apparaissait parmi nous était vraiment le boulanger mort, ou s'il ne s'agissait pas plutôt d'un mauvais esprit qui en avait pris l'apparence. Il fallait en avoir le cœur net, et aller voir à la tombe !

Le fossoyeur ouvrit donc la sépulture. Oui, le boulanger y était toujours... mais il avait maintenant de la boue jusqu'aux genoux, et de la pâte à pain sur les avant-bras.

Ce spectacle nous frappa tous du plus profond effroi.

Aussitôt on remplit la fosse de terre, on tassa bien, et on mit par-dessus une grosse pierre de granit.

La nuit suivante, le boulanger rôdait de nouveau par les rues du village, jetant des cailloux et rouant de coups ceux qui n'étaient pas rentrés chez eux avant la fin du jour.

La terreur s'installa. Même les nuits d'hiver, quand la terre était gelée, le mort sortait de sa tombe. Alors on tint conseil : la vie était impossible, et pourtant, on n'allait pas abandonner le village à un revenant ! Pour aller où ? Pour vivre de quoi ?

On parla, longtemps, des heures, des jours... et puis on décida. On décida que le seul moyen était de rouvrir la tombe, et de briser les jambes du mort.

Ainsi fut fait, et depuis ce temps, plus personne ne l'a vu. Mais moi, il rôde dans mon esprit, et quand la mort viendra me tirer par les pieds, je vous le dis solennellement, je suis sûr qu'elle me trouvera dans mon lit, avec la terreur toujours au fond des yeux.

Les Petites Coudées

L'aurore marque le début de la journée, le crépuscule la fin. L'aurore est pleine de promesse, le crépuscule clôt le temps passé, sur lequel on ne peut revenir, et porte à la réflexion. On peut préférer l'un ou l'autre. Dans ce conte de la région de Loudéac...

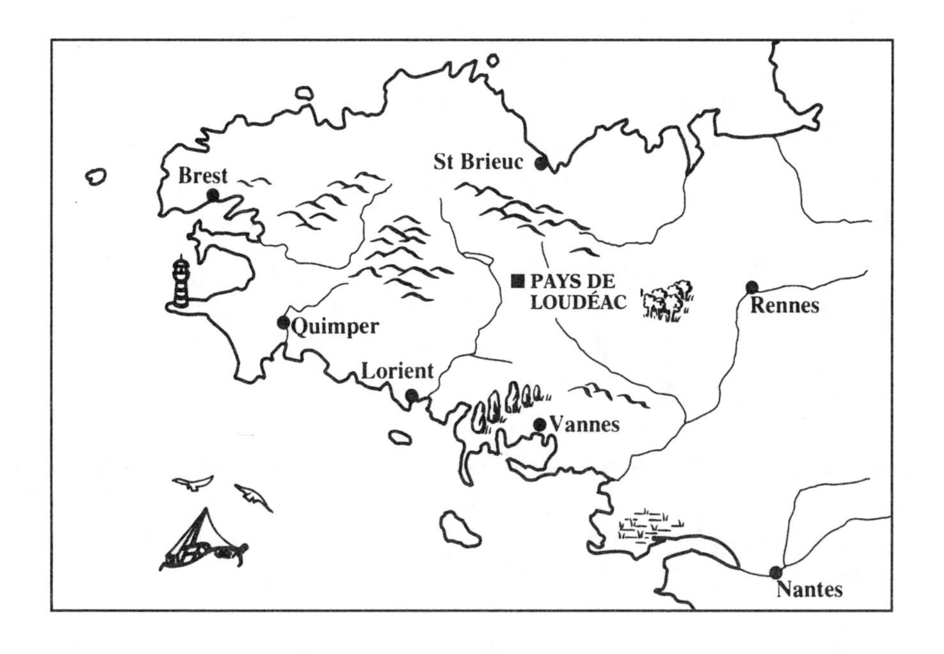

Le roi et la reine de ce pays avaient deux filles, qu'ils avaient appelées Aurore et Crépuscule.

De l'aurore ou du crépuscule, quel est le plus beau ?

Pour ce qui est des filles du roi, les avis étaient très partagés. Les gens de la contrée disaient qu'Aurore était la plus belle. La preuve ? Aurore était la préférée de ses parents.

Mais est-ce bien une preuve ?

Il est vrai que, lorsqu'on pénétrait dans le château, on trouvait immédiatement Aurore merveilleuse, ses cheveux, ses yeux, son teint... Certes, elle dépassait en beauté sa sœur, qu'on remarquait à peine. Mais si on restait un peu, si on passait une journée avec les deux sœurs, on s'apercevait qu'au fil du temps, on se prenait à trouver Aurore moins jolie, et Crépuscule au contraire de plus en plus agréable à regarder.

À chaque bal que donnait le roi, on pouvait voir qu'Aurore était très entourée au début, et qu'à la fin de la soirée, tous les jeunes gens se retrouvaient près de Crépuscule.

Le roi et la reine disaient que c'était sûrement de la sor-

cellerie, et que Crépuscule attirait les galants par des procédés magiques.

Mais pas du tout : ceux qui connaissaient bien les deux filles vous le confirmeront : Crépuscule était gaie et aimable, et on aimait sa conversation, tandis qu'Aurore n'était que belle.

Mais cela, les parents ne s'en rendaient pas compte. Ils étaient agacés de voir tous les meilleurs partis de la région, les princes des contrées voisines, se plaire davantage en la compagnie de Crépuscule. Ils étaient agacés, car ils voulaient le meilleur mariage pour leur fille Aurore, la plus belle et la préférée.

Un soir, alors que le bal touchait à sa fin et qu'Aurore n'avait plus que son père pour l'inviter à danser, le roi se mit en colère. La dernière danse finie, il entraîna sa femme à l'écart et lui dit :

– J'ai bien réfléchi : le mieux, c'est de se débarrasser de Crépuscule. Quand elle ne sera plus là, Aurore pourra enfin rayonner pleinement.

– C'est vrai, répondit la reine. Crépuscule empêche notre Aurore de s'épanouir. Je suis sûre que c'est par sorcellerie.

– Si Crépuscule est une sorcière, nous devons nous en séparer.

– Vous avez raison mon ami, c'est notre devoir de bons parents.

Et d'arguments douteux en affirmations de mauvaise foi, voilà le roi et la reine bien décidés à éliminer Crépuscule.

Ils firent appeler la jeune fille :

– Ma fille, dit le roi, votre mère et moi avons décidé que vous deviez partir immédiatement chez votre marraine pour parfaire votre éducation.

– Bien, répondit Crépuscule fort étonnée, je partirai dès demain, si c'est votre volonté.

– Qui parle de demain ? éclata le roi, vous partez dès ce soir. Immédiatement.

– Mais... il fait nuit noire...

– Comment ? Une fille discuterait-elle les ordres de son père ?

– Allons, intervint la reine avec amabilité, n'ayez aucune crainte, nous vous donnerons un serviteur pour vous accompagner.

Crépuscule ne put rien dire, rien faire, que de prendre un manteau et un panier de provisions.

La nuit était noire et terrifiante. Partout, des arbres menaçants, des buissons inquiétants où sûrement se cachaient des Korrigans ou des âmes perdues. Crépuscule était apeurée. Heureusement, le serviteur marchait devant elle, portant une lanterne.

Mais soudain, la lanterne s'éteignit. Un coup de vent, peut-être ? Non, il n'y avait aucun souffle. Et en même temps que s'éteignait la lanterne, disparaissait le serviteur. Crépuscule appela, chercha des yeux dans la nuit noire, ignorant que le serviteur était reparti vers le château en l'abandonnant, comme il en avait reçu l'ordre.

Le cœur serré et ne sachant que faire, Crépuscule se hissa sur une branche basse pour se mettre à l'abri des animaux qui rôderaient dans les environs, et attendit le jour.

À l'aube, elle regarda autour d'elle et ne reconnut rien.

Perdue. Elle était perdue.

Elle faillit bien se mettre à pleurer, mais cela ne servirait à rien. Elle décida donc de ravaler ses larmes, et de faire comme si elle se promenait. Elle s'enfonça dans la forêt.

Au soir, elle ne savait toujours pas où elle était. Elle monta dans un arbre pour y passer sa deuxième nuit et, écoutant tous les bruits de la forêt, elle attendit le jour.

Les premiers rayons du soleil la frappèrent de stupeur : ils faisaient miroiter dans le lointain une sorte de château merveilleux, qui semblait taillé dans du cristal.

Tout heureuse, Crépuscule sauta de l'arbre et courut dans cette direction. C'était à vous couper le souffle : le château était comme illuminé de l'intérieur, et diffusait une chaude lumière.

Crépuscule frappa.

Elle attendit un long moment, sans qu'aucune réponse ne lui parvienne. Le château était-il désert ?

Elle frappa encore. Au bout d'un moment, il lui sembla entendre de toutes petites voix, dont le murmure passait sous la porte.

Enfin, au bout d'un temps infini, le lourd battant s'entrouvrit. Crépuscule n'en crut pas ses yeux. Elle voyait devant elle de toutes petites femmes, qui n'étaient pas plus hautes que le coude. Elles avaient dû se faire la courte échelle pour parvenir au loquet de la porte, et se mettre à plusieurs pour réussir à l'ouvrir.

– Excusez-nous de vous avoir fait attendre, dirent-elles, nous sommes les Petites Coudées.

– Bonjour, dit Crépuscule. Je me suis perdue dans la forêt. Est-ce que vous pouvez me mener au maître de ce château ?

– Ce n'est pas un maître, remarquèrent les petites femmes.

Alors, du fond de la pièce, parvint une voix douce :

– Je suis la châtelaine de ces lieux.

Et Crépuscule s'aperçut avec étonnement que celle qui venait de parler était une chatte blanche.

– Je peux t'offrir l'hospitalité, reprit la chatte.

Et comme Crépuscule allait remercier, elle finit :

– Mais j'y mettrai des conditions.

Crépuscule ne savait ni où elle était, ni par où repartir. Elle réfléchit un moment, et demanda :

– Quelles conditions ?

– Tant que tu seras ici, tu ne dois jamais désobéir à mes ordres.

– C'est normal, dit Crépuscule. Je suis votre hôte, je ferai ce que vous direz.

Puis, de peur d'avoir parlé trop vite, elle s'inquiéta :

– Quels sont ces ordres ?

– Tu peux manger tout ce que tu veux, aller et venir comme bon te semble. Mais je ne veux pas que tu t'approches de l'étang.

Cela parut facile à Crépuscule et elle accepta.

La vie au château était douce et confortable. L'étang était loin, mais reflétait doucement les rayons du soleil. Crépuscule aurait voulu comprendre pourquoi on lui interdisait de s'en approcher. Un ordre était un ordre, mais ne pas comprendre les raisons de cet ordre l'ennuyait.

Elle le demanda à la chatte, qui refusa de lui répondre sur ce sujet.

Un jour qu'elle se promenait au fond du parc, Crépuscule perçut comme un éclat nouveau sur l'étang. Intriguée, sans réfléchir, elle s'approcha.

Aussitôt que ses yeux se fixèrent sur l'eau, elle vit un serpent vert en sortir.

Effarée, elle recula, regrettant déjà d'avoir désobéi. Mais le serpent lui dit :

– N'aie point peur, belle amie, je ne te ferai aucun mal. Depuis si longtemps, je n'ai personne à qui parler. Ne t'en va pas, je t'en supplie.

Hésitante, Crépuscule s'approcha, s'approcha encore, comme attirée par le serpent, par des yeux amicaux. Elle commença de lui parler, et il lui répondit avec tant d'amabilité et d'intelligence qu'elle en oublia l'heure et le temps.

Quand elle s'aperçut que le soleil se couchait, elle se releva d'un bond et, promettant de revenir le lendemain, elle courut vers le château.

Hélas ! La chatte était à la porte, l'air fâché :

– Qu'on jette cette désobéissante dans un bain de lait bouillant ! cria-t-elle.

Et les Petites Coudées se précipitèrent pour saisir Crépuscule et la plonger dans la marmite qui chauffait sur le feu.

Quand Crépuscule se réveilla, elle souffrait de partout. Les Petites Coudées la soignaient de leur mieux.

– Heureusement, dit l'une d'elles, nous ne t'avons pas laissée trop longtemps dans la marmite, mais ne recommence plus jamais.

– ... Ou il pourrait t'en cuire, ajouta une autre.

Mais Crépuscule était si mal qu'elle n'était pas en mesure d'apprécier le jeu de mots.

Crépuscule mit trois jours à se remettre. Elle ne cessait de penser au serpent : elle lui avait promis de revenir.

Dès qu'elle put se tenir debout, sans plus songer à la punition, elle retourna à l'étang. Elle trouva le serpent tout triste :

– Je pensais que tu m'avais oublié, dit-il.

– J'étais empêchée de venir, répondit simplement Crépuscule qui ne voulait pas l'inquiéter.

Et pour le consoler, elle demeura avec lui plus longtemps encore que la première fois.

– Qu'on jette cette désobéissante dans un bain d'huile bouillante !

Huit jours après, malgré les soins des Petites Coudées, Crépuscule ne tenait pas debout. Quand elle sut que la chatte blanche était partie en voyage, elle décida de se lever tout de même, et se traîna jusqu'à l'étang.

Elle trouva le serpent très amaigri.

– Tu es venue et partie, dit-il, puis tu es revenue et repartie. Et maintenant, je vais mourir.

– Oh non ! cria Crépuscule, ce n'est pas de ma faute, je t'assure.

– ... Je vais mourir...

– Non, je ne te laisserai pas. Que faut-il faire pour te sauver ?

– Quelque chose d'impossible.

– Quoi ?

– M'épouser.

Crépuscule recula d'effroi : épouser un serpent ? Non, elle ne pouvait pas. Les larmes lui montèrent aux yeux, et elle s'enfuit en courant.

Elle passa une affreuse nuit. Elle voyait le serpent expi-

rer sur le bord de l'étang. Dès les premières lueurs du jour, elle se précipita vers la pièce d'eau et le trouva exténué. Déjà ses yeux se faisaient vitreux, la mort était sur lui.

– Ne meurs pas ! cria-t-elle, je t'épouserai.

Le serpent ouvrit ses yeux fatigués, et Crépuscule y lut une grande affection.

Elle se retourna subitement : la chatte blanche était là, sa vie était finie ! Elle ferma les yeux et s'apprêta à entendre sa sentence de mort.

Mais la chatte blanche la regardait sans dire un mot. Enfin elle se détourna et regagna le château.

Quand Crépuscule rentra, elle vit que tout était préparé pour le mariage. Alors elle revint à l'étang, prit le serpent dans sa main, et s'en fut, le cœur un peu serré, vers la chapelle.

On demanda au serpent s'il voulait prendre Crépuscule pour épouse, et il dit oui.

On demanda à Crépuscule si elle voulait prendre le serpent pour époux, et elle ne put que remuer faiblement les lèvres. Puis elle vit les yeux angoissés du serpent fixés sur elle, et elle dit « oui ».

À peine ce mot prononcé, tout sembla éclater autour d'elle. Le serpent était devenu un prince magnifique, la chatte dans sa robe de velours rouge, une jolie jeune fille, et les Petites Coudées étaient maintenant aussi grandes qu'elle.

Le prince la serra dans ses bras et souffla :

– Tu as été bonne et charitable, et courageuse. Tu nous a tous sauvés de la malédiction de la Sorcière.

Comme Crépuscule restait tout ébahie, le prince reprit :

– Ma sœur était chatte blanche, les dames de la cour Pe-

tites Coudées, et moi j'étais serpent... jusqu'à ce qu'une femme accepte de m'épouser... et j'ai trouvé une femme merveilleuse.

Crépuscule regarda les yeux du prince. Oui, elle les reconnaissait... et elle sut alors que c'était à cause de son regard qu'elle avait accepté d'épouser le serpent.

– Je suis si heureuse, murmura-t-elle.

Dans la plupart des contes anciens, la vraie valeur est l'obéissance, obéissance souvent aveugle à des ordres qu'on ne comprend pas, mais qui sont en réalité destinés à protéger celui qui les donne, ou celui qui les reçoit.

Si on les respecte, on est récompensé par le cours des événements. Si on les enfreint, on est puni.

Or ici, tout semble fonctionner différemment : d'abord, la chatte donne un ordre qui va à l'encontre de ses intérêts, en défendant d'approcher de l'étang. C'est en fait pour tenter la jeune fille. (Une interdiction dont on ignore le sens entraîne forcément une tentation).

Ensuite, si elle la punit cruellement pour avoir bravé l'interdit, c'est seulement pour l'éprouver, car la chatte a en fait besoin que la jeune fille surmonte les mauvais traitements et continue à désobéir.

Crépuscule gagne et sauve tout un monde en agissant en accord avec sa conscience plutôt que d'obéir à des ordres incompréhensibles, ce qui n'est pas une morale fréquente dans les contes.

Le moulin du diable

Dans les campagnes, autrefois, on souffrait souvent de la famine, et la tentation était alors grande de faire n'importe quoi pour manger à sa faim, même le pire...

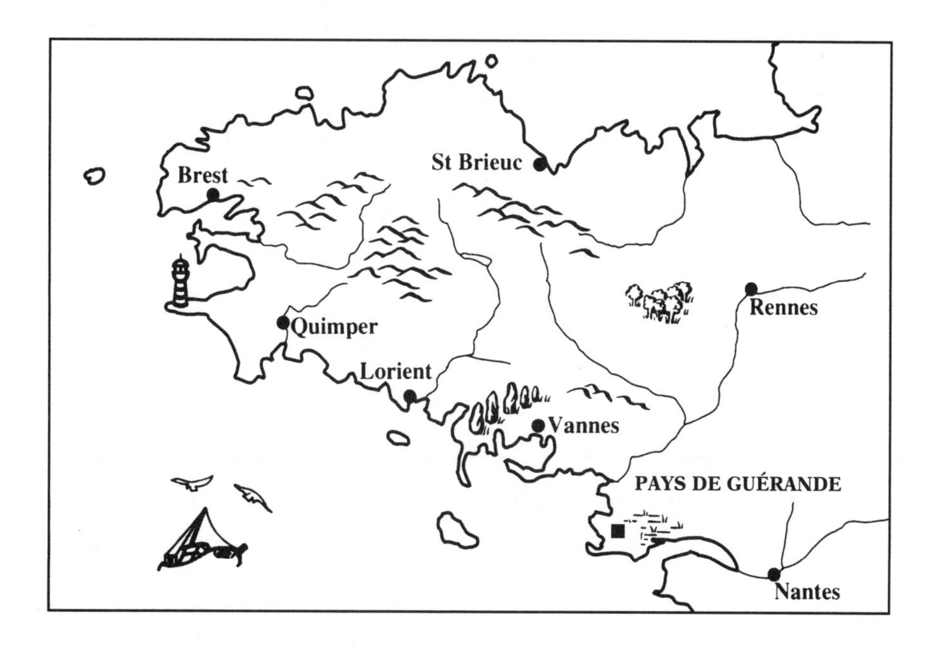

Dans un petit hameau proche de Guérande, vivait un paysan qui s'appelait Yves Kerbic. Il était très pauvre, comme tous les paysans des alentours.

Durant la journée, il devait travailler les champs du seigneur, et, lorsque le soir tombait, il pouvait ensemencer son propre petit lopin de terre, où il faisait pousser du blé.

Malheureusement, le hameau n'avait pas de moulin et les paysans, déjà si pauvres, devaient encore payer plusieurs sacs de blé pour avoir le droit de faire moudre leur grain au moulin du seigneur. Ils en revenaient avec si peu de farine, que jamais ils n'en avaient assez pour faire du pain toute l'année. Immanquablement, quand arrivait le mois de mars, les huches étaient vides et la famine s'installait.

Cette année-là, en mars précisément, Yves Kerbic était assis sur le pas de la porte, lorsque sa femme Marie lui dit :

– Je mets pour le souper le dernier croûton de pain qui nous reste. Si au moins nous n'avions pas à payer au sei-

gneur pour moudre le grain au moulin, nous pourrions avoir du pain toute l'année !

– C'est vrai, dit Yves, il nous faudrait un moulin. Malheureusement, nous travaillons toute la journée aux champs, comment trouver le temps d'en construire un ?

À peine eut-il dit ces mots qu'un serpent sortit de terre juste à ses pieds.

– Je veux bien, moi, te construire un moulin, siffla-t-il, mais...

– Mais quoi ? demanda Yves.

– Mais en échange, tu me donnes quelque chose.

– Que veux-tu ?

– Oh ! Pas grand chose... tu ne t'apercevras même pas que tu ne l'as plus... Ça ne coûte rien...

– Mais enfin, fit Yves en s'énervant, de quoi parles-tu ?

– De ton âme.

– Mon âme ?

Marie s'approcha en criant :

– Ne fais pas ça, Yves, c'est le diable ! Ne vends pas ton âme au diable !

Mais Yves n'écoutait pas sa femme.

– Hum... fit-il en se grattant le menton... Tu dis que tu me construiras un moulin ?

– C'est cela même. Un moulin magnifique, tout en granit, sur la butte que tu vois là.

– C'est bon, dit Yves, construis le moulin et mon âme est à toi. Je signerai le pacte au moment où tu poseras la dernière pierre.

Marie se mit à pleurer, mais il n'y avait plus rien à faire.

Le lendemain, Yves fut réveillé par les cris de Marie :

– Yves ! Oh Yves ! Une rangée de pierres est déjà posée sur la butte de Crémeur. Je t'en prie, annule ton pacte avec le diable !

– Calme-toi, répondit Yves, le moulin n'est pas fini.

– Yves ! Oh Yves ! Deux rangées de pierres sont déjà posées sur la butte de Crémeur. Je t'en supplie, annule ton pacte avec le diable !

– Calme-toi, Marie, le moulin n'est pas fini.

– Yves ! Oh Yves ! Il ne manque plus qu'une rangée de pierres. Il est encore temps d'annuler le pacte !

– Calme-toi, Marie, c'est une rangée de pierres qui n'est pas encore posée.

– Yves, oh Yves ! Il ne manque plus qu'une pierre !

– Calme-toi, Marie, c'est une pierre qui ne sera pas posée.

Yves se précipita vers le moulin et, avant que le diable n'ait eu le temps de poser sa dernière pierre, il mit à la place une statue de la Vierge.

Le diable poussa un hurlement si épouvantable que toute la contrée en fut réveillée. Puis il s'évanouit en fumée et disparut dans la terre.

Et c'est ainsi que Yves Kerbic eut son moulin... et garda son âme.

Petit Moine et Grand Moine

Les moines, autrefois, n'avaient pas bonne réputation. On les accusait d'être voleurs, menteurs, ivrognes... Voici ce qu'on raconte du côté de Guingamp.

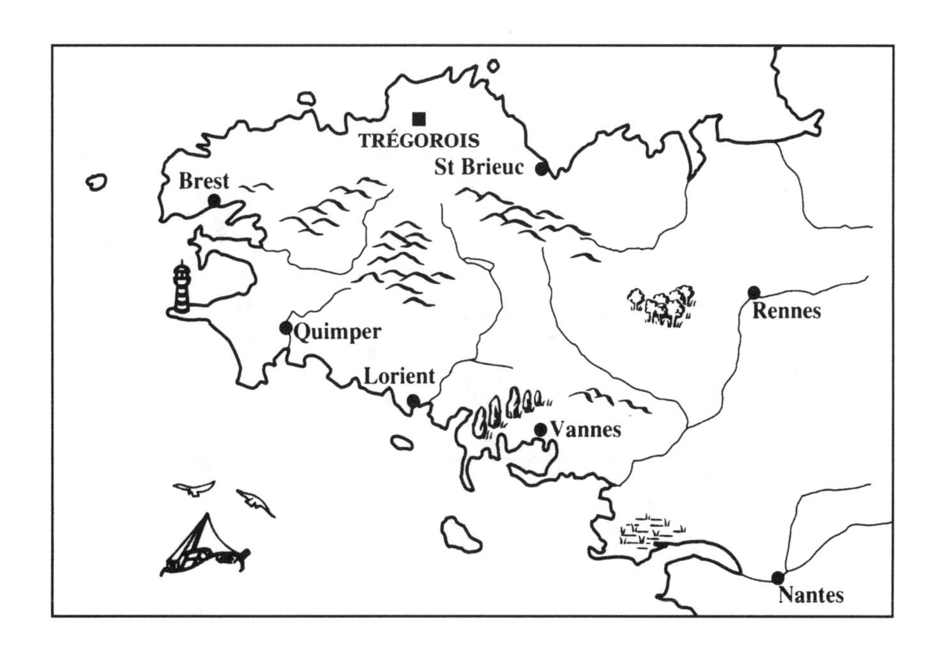

À l'abbaye de Bégard, il y a fort longtemps, il n'y avait que deux moines, un grand et un petit.

Le grand moine était fort riche, il possédait beaucoup de terres et de bétail, tandis que le petit moine n'avait qu'un champ, et une seule vache. Seulement, comme souvent dans les contes, Petit Moine était beaucoup plus malin que Grand Moine.

Dans ce temps-là, Grand Moine était le chef, aussi il ne faisait rien de la journée. Par contre, Petit Moine s'occupait de tout.

Un jour, Petit Moine s'aperçut qu'il n'y avait plus de viande au saloir. Il dit à Grand Moine :

– Il est temps de tuer une vache. Comme tu en as beaucoup et que je n'en ai qu'une, il vaut mieux tuer une des tiennes.

– Que nenni, dit Grand Moine, il n'y a pas de raison ! Il n'y a qu'à laisser Dieu choisir.

– Et... Comment choisirait-il ?

– C'est facile : je vais mettre mes vaches dans mes champs, et toi ta vache dans ton champ. Et la première vache que Dieu fera revenir toute seule à l'étable sera abattue.

Petit Moine grommela un peu, mais il ne pouvait rien faire : Grand Moine était le chef. Il dut donc se résoudre à aller mettre sa vache au champ, qui n'était pas très éloigné de l'abbaye, tandis que Grand Moine s'en allait répartir les siennes dans tous ses champs les plus lointains.

Évidemment, comme le champ de Petit Moine était tout petit et déjà copieusement brouté, la vache n'eut bientôt plus rien à manger et rentra la première à l'étable.

La mort dans l'âme, Petit Moine dut donc l'abattre.

– Bon, dit-il. Puisqu'il en est ainsi, je m'en vais vendre la peau au marché, j'en tirerai au moins un peu d'argent, et je n'aurai pas tout perdu.

Et il se mit en route.

Chemin faisant, il se sentit fatigué et s'arrêta sous un pommier. Il cueillit une pomme, s'adossa au talus, et commença à mordre dans le fruit à belles dents.

Soudain, il entendit des voix qui disaient :

– Ça ne fait pas le compte ! Tu m'avais promis plus que ça.

– C'est moi qui ai eu l'idée du vol, c'est à moi d'avoir plus.

– C'est moi qui ai surveillé le départ du châtelain, je veux mes vingt écus.

– C'est moi qui ai cassé le carreau pour entrer. Le diable vous emporte si je n'ai pas autant que les autres.

Petit Moine comprit qu'il avait affaire à des voleurs en

train de se partager un butin, et la dernière phrase lui donna à réfléchir.

En riant d'avance, il s'enveloppa dans la peau de vache, les cornes bien de chaque côté du crâne, et passa la tête au-dessus du talus.

– On parle de moi ? cria-t-il d'une voix terrible. Me voilà. Je vois qu'il y a là quatre clients pour l'enfer...

Et il se frotta les mains en riant méchamment.

Terrorisés, les quatre bandits s'enfuirent à toutes jambes, avant que le diable qu'ils venaient de voir ne les attrape.

Bien amusé, Petit Moine compta l'or : cent écus, qui n'appartenaient plus à personne, donc qui lui appartenaient.

Il les mit dans sa poche, et continua jusqu'au marché pour vendre la peau de sa vache.

Quand il revint le soir, il se rendit droit chez Grand Moine, et fit sonner les pièces d'or sur la table.

– Dieu du ciel ! s'exclama Grand Moine, comment as-tu fait pour gagner tout ça ?

– J'ai vendu la peau de ma vache, comme je l'avais dit.

– Tant d'argent pour une seule peau ?

– Elles sont très demandées en ce moment. Le prix arrive vite à cent écus la pièce.

Cent écus la pièce... se dit Grand Moine.

Et il commença à calculer le nombre d'écus, multiplié par le nombre de ses vaches... Ça faisait beaucoup, vraiment beaucoup.

Le lendemain, quand Petit Moine se leva, il vit que Grand Moine chargeait une charrette.

– Que fais-tu ?

– J'ai tué toutes mes vaches, et je m'en vais vendre les peaux au marché. Pendant que je ne suis pas là, occupe-toi de mettre toute la viande au saloir.

Et voilà Grand Moine parti au marché.

– Qui veut des peaux, de belles peaux de vaches ?

– Combien les vends-tu ?

– Ma foi, cent écus chaque.

– Combien ? redemanda un tanneur, croyant qu'il avait mal compris.

– Cent écus chaque.

– Allons... Tu veux sans doute dire cent sous.

– Cent écus, c'est le prix que se vendent en ce moment les peaux de vaches, et je ne me laisserai pas rouler.

Sur le marché, on se dit que ce pauvre moine était devenu fou, et on ne s'occupa plus de lui.

Le soir venu, Grand Moine dut rentrer à l'abbaye avec toutes ses peaux encore sur la charrette.

– Ah ! s'étonna Petit Moine, c'est vraiment curieux, ce marché : un jour les peaux s'y vendent cent écus, le lendemain cent sous. Allez comprendre la folie des hommes ! Mais au moins, consolons-nous : nous avons de la viande au saloir pour longtemps.

À ce moment, un homme arriva de la ferme voisine et demanda à parler à Petit Moine.

– Votre pauvre mère est morte, annonça-t-il.

Petit Moine eut un peu de chagrin, mais sa mère était si vieille...

Il prit la charrette pour se rendre à la ferme et veiller la morte toute la nuit, comme c'était la coutume.

Au petit matin, il coucha le corps de sa mère sur le fond de la charrette et prit le chemin du village, pour l'emmener au cimetière.

Tout en cheminant, il aperçut sur le bord de la route un poirier couvert de fruits magnifiques. En face, on voyait une ferme.

Pris d'une idée subite, Petit Moine s'arrêta.

Il chargea sa mère sur son dos pour la porter jusqu'au poirier, puis il l'appuya au tronc et lui glissa une poire dans la main.

Il se mit alors à crier :

– Au voleur ! Au voleur de poires !

Le fermier, furieux, sortit aussitôt avec son fusil et tira vers la voleuse qui se tenait sous son poirier.

– Malheur ! cria Petit Moine. Malheur ! Vous avez tué cette femme !

– Je l'ai tuée ? s'étonna le fermier.

– Regardez, elle est morte et bien morte.

– Mon Dieu, gémit le paysan.

– Je vais vous dénoncer ! clama Petit Moine.

Le fermier se mit à trembler :

– Ne faites pas ça, je vous en prie. C'était un accident.

– Je ne sais si ce sera l'avis des hommes de police...

– Je vous en supplie, ne dites rien. On peut sûrement s'arranger.

– S'arranger ? cria Petit Moine scandalisé.

Puis, semblant réfléchir, il reprit :

– Rien ne fera revivre cette pauvre femme, de toute façon. Le mieux est peut-être que je mette ce corps sur ma charrette et que je l'emporte au cimetière sans informer personne. Mais pour ma peine et pour le repos de l'âme de cette femme, il vous faudra payer cinq cents écus.

Le bonhomme fut effaré par la somme, mais comment faire autrement ? Passer le reste de sa vie en prison serait bien pire...

Petit Moine remit sa mère sur la charrette et reprit le chemin du village, en comptant ses écus.

En approchant du marché, il vit que le potier avait étalé toute sa production. Il réfléchit un instant, redressa sa mère sur la charrette, et fouetta le cheval très fort.

Le cheval se cabra et se mit à galoper, renversant tout ce qu'il y avait devant lui. Les pots éclatèrent, les paniers se renversèrent.

– Arrêtez votre cheval ! criait-on.

Mais la femme dans la charrette semblait s'en moquer.

– Tirez sur les rênes, faites quelque chose !

Comme la femme ricanait sans rien dire, le potier se précipita vers elle et, plein de colère, lui asséna un coup de bâton sur la tête.

– Malheur ! vous avez tué ma mère. Malheur ! cria Petit Moine.

Le potier parut tout penaud.

– Comment cela ? dit-il. C'est impossible, je n'ai pas tapé si fort...

– Vous l'avez tuée ! gémit le moine de plus en plus haut. Regardez ! Regardez !

– Taisez-vous donc, souffla le potier affolé, ce n'est pas la peine d'ameuter le pays.

– Vous l'avez tuée !

– Chut. Si vous voulez, je vais vous donner l'argent pour l'enterrer et faire dire des messes pour le repos de son âme.

– Peut-être que cela pourra consoler ma peine. Mille écus, par exemple, et son salut est assuré.

– Mille écus ! s'étrangla le potier. Où vais-je les prendre ? Je vous en supplie, bon moine, soyez généreux. Je mettrai ma maison en gage et vous donnerai six cents écus.
– C'est bon, admit le moine avec grandeur d'âme.

Petit Moine reprit son cheval par la bride et le fit sortir du marché. Il ne lui restait plus qu'à aller chercher le curé et à faire enterrer sa mère au cimetière.

Quand tout fut fini, il rentra à l'abbaye.

– Où as-tu trouvé tout cet argent ? s'ébahit Grand Moine.
– Je ne l'ai pas trouvé, je l'ai gagné.
– En quoi faisant ?
– J'ai vendu ma mère au marché.
– Onze cents écus pour une vieille femme morte ?
– Tout juste : les vieilles femmes mortes sont très recherchées en ce moment.

Grand Moine songea que sa mère à lui était bien vieille aussi, et que sûrement elle mourrait bientôt. Ce serait dommage d'attendre, quand on faisait en ce moment de si bonnes affaires... Et puis, sa mère souffrait de rhumatismes, et c'était vraiment inhumain de la laisser souffrir pour rien.

Le lendemain matin, voilà que la mère du Grand Moine était morte, on ne savait trop comment.

Grand Moine la chargea aussitôt sur la charrette et l'emmena au marché :

– Qui veut une vieille femme morte ! Qui veut une vieille femme morte ! Douze cents écus seulement !

Il avait fait son prix cent écus de plus que la mère de Petit Moine, car celle qu'il proposait là était tout de même plus dodue.

– Douze cents écus !

Les gens venaient voir et s'en retournaient effrayés.

– Ce moine est fou, disait-on.

Puis on s'aperçut que la femme avait une grande coupure au cou, et on alla chercher la police.

Grand Moine fut condamné par la justice à être pendu, et c'est ainsi que Petit Moine devint Grand Moine.

Les mains les plus blanches

Conte recueilli du côté de Saint-Brieuc

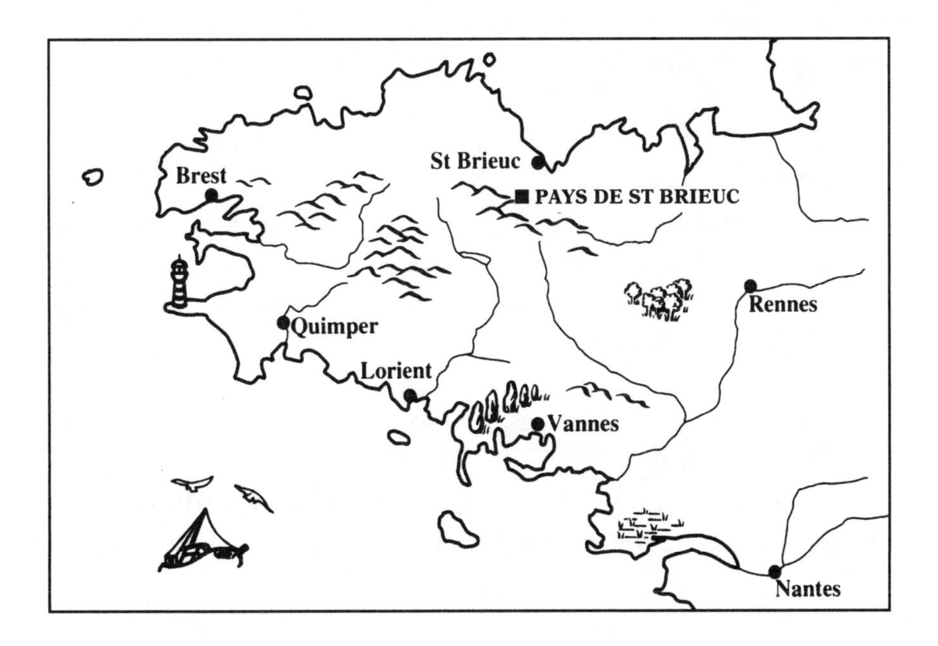

Le matelot était bien malheureux : la fille qu'il aimait était courtisée par plusieurs garçons, et il se désespérait. À chaque fois qu'il venait lui rendre visite, il découvrait dans la place soit le coiffeur, soit le boulanger.

La jeune fille ne trouvait pas désagréable de se laisser courtiser ainsi, car cela lui prouvait qu'elle était jolie, et une fille aime toujours à se l'entendre dire. La mère, au contraire, commençait à être agacée par ce manège.

Un jour, elle dit à sa fille :

– Il est temps de choisir, tu ne peux traîner ainsi tous ces galants derrière toi.

– Je n'arrive pas à faire un choix, ils me plaisent tous trois, répondit la fille, désolée.

– Puisque c'est ainsi, reprit la mère, je vais décider moi-même qui tu épouseras.

Un soir que les trois galants se trouvaient ensemble autour du feu, la mère leur dit :

– Puisqu'elle ne sait choisir, je donnerai ma fille à celui qui montrera les mains les plus blanches.

Aussitôt, les trois jeunes gens cachèrent leurs mains, demandant un délai pour se présenter.

C'est bien, pensait le coiffeur, *tout le jour je coupe les cheveux et taille les barbes, je plongerai plus souvent que d'ordinaire les mains dans l'eau, je mettrai dans mon eau plus de savon, et au soir, j'aurai les mains les plus blanches.*

C'est parfait, se disait le boulanger, *je vais pétrir toute la journée, mes mains seront très propres. Et puis, je les frotterai de farine et au soir, j'aurai les mains les plus blanches.*

Seul le matelot était abattu en sortant de la maison. Il savait qu'il pourrait se laver et se relaver, laisser tremper ses mains toute la journée dans l'eau, jamais il n'arriverait à les rendre blanches. Ses mains étaient tannées, creusées par le travail, le goudron de calfatage y avait laissé des traces indélébiles... Il voyait bien que la fille ne serait pas pour lui.

Il rentra au bateau le cœur gros, avec l'envie de pleurer.

– Allons, lui dit son patron, que t'arrive-t-il ?

Le matelot lui conta l'histoire, et lui dit son désespoir.

– Allons, consola le patron, ne t'en fais pas pour ça ! Par ma foi, si tu aimes cette fille, tu l'auras !

– Je voudrais bien le croire !

– Écoute par là, matelot...

Le lendemain soir, les trois galants, le cœur battant, se présentèrent à la maison de la fille.

La mère les fit entrer, puis elle les appela un à un :

– Coiffeur, montre-moi tes mains !

Le coiffeur approcha.

– Oui, dit la mère, elles sont assez blanches, mais je vois un morceau de cheveu sous l'ongle.

Le coiffeur ôta vite le cheveu, mais il était trop tard.

– À toi, boulanger !

Le boulanger tendit des mains d'une blancheur immaculée.

– C'est bien, dit la mère, ces mains-là sont très blanches, mais je vois un petit morceau de pâte qui est resté collé à la base de l'ongle. Avant de me décider, il faut que je voie le troisième.

Le matelot s'approcha et tendit ses mains. Et dans ses mains, il y avait les cinq pièces d'or que son patron lui avait laissées en cadeau.

– Ah ! s'exclama la mère, celui-ci a gagné, car jamais je n'ai vu de mains plus blanches.

Et c'est ainsi que le matelot épousa celle qu'il aimait.

POSTFACE

Avant que l'électricité ne fasse reculer les peurs, et ne chasse les fantômes, les nuits d'hiver étaient noires et longues. La faible lueur des chandelles, ou plus souvent les seules flammes de la cheminée, étaient bien insuffisantes pour permettre un vrai travail. Alors, on avait pris l'habitude, entre voisins, de se rassembler pour la veillée, chez l'un ou l'autre, de parler ou de conter.

Bien sûr on racontait surtout pour se distraire (et certains des textes rassemblés ici n'ont d'autre but que de faire rire), mais le plus souvent, les thèmes choisis, la manière de dire, révèlent les inquiétudes du temps, une certaine conception du monde, et bien sûr une évidente volonté d'enseigner, qui se traduit par une morale.

Le conte n'aime pas la demi-mesure, il y a pour lui le Bien et le Mal. On trouve les couples bien tranchés généreux-avare, aimable-désagréable, religieux-athée...

Naturellement, celui qui fait le Mal est puni : celui qui assassine ou protège un assassin sera transformé en loup-garou, celui qui déplace, pour agrandir son champ au détriment du voisin, la borne qui le délimite, sera condamné à errer après la mort en portant cette borne sans fin, et la morale sanctionne donc un comportement nuisible à la société.

Elle se méfie beaucoup du désir de richesse, qui ouvre la voie au Mal : quoi de plus magique que de trouver un trésor ? Oui mais... il ne faut pas trop en vouloir (Les Pierres de Plouhinec peuvent vous écraser, la poule aux œufs d'or porte malheur à celui qui la garderait plus de deux semaines, etc...)

Face à cette morale sociale, on trouve souvent une morale religieuse, liée à un culte, une tradition : celui qui oublie de prier pour ses morts sera puni par le destin. Cette notion de Bien et de Mal peut même parfois être marquée d'une conception très étroite de la religion catholique : malheur à celui qui va au cabaret au lieu d'aller à la messe (surtout la messe de minuit), le diable le guette.

Car le diable est toujours très présent, soit qu'il attende le pêcheur, soit qu'il essaye d'acheter son âme *(Le moulin du diable)*, et il peut pro-

fiter de votre incursion dans son domaine pour vous emmener physiquement *(Jean l'Or)*.

Le conte devient alors facilement leçon.

Face au Mal, le Bien : il est récompensé de diverses façons *(La grotte des Korrigans, Les Petites Coudées)*. Il s'agit souvent de porter secours à un être faible : une vieille femme, un mendiant, un animal blessé, qui se révèlent être autre chose que ce qu'ils paraissaient.

Cette morale, on la retrouve aussi dans le récit légendaire, que ce récit soit témoignage de faits réels, ou pure imagination : le malheur de la ville d'Ys vient du Mal qui l'habite.

Souvent, la légende a pour rôle d'expliquer l'inexplicable, concernant aussi bien des événements que des présences insolites. On y voit l'intervention de Dieu (qui se manifeste généralement par la main d'un saint), ou celle du Merveilleux (ce sont des fées qui ont construit les mégalithiques de *La Roche aux Fées)*.

L'incompréhensible s'éclaire : si le lait ne peut devenir beurre, si les vaches meurent, la faute en est à la sorcellerie ; les cris inexpliqués dans la nuit sont le fait d'être malveillants (les Stroubinellous dans le Léon) ; les objets qui se perdent sont volés par les lutins, les enfants qui sont en mauvaise santé ne sont pas les vrais enfants des hommes, mais ceux des fées, qui ont été échangés par elles...

Voilà que le conte révèle les peurs : peur de l'inconnu, de l'inexplicable, peur de la Mort (les revenants, les intersignes), peur de la nuit qui est peuplée de personnages inquiétants, fantastiques, très grands ou très petits, doués du pouvoir de vous attirer, comme les fées et les sirènes, comme Jean du rivage qui vous appelle pour vous noyer. Les lavandières de nuit, les meneurs de loups, les sorciers et autres êtres malfaisants sont autant d'ennemis dont il faut se protéger.

Toutefois, ces personnages peuvent, selon les régions ou les moments, être bons ou mauvais (le lutin de Margatte sauve le seigneur du sort jeté par une vieille femme).

Il est très difficile de démêler exactement le fondement et la portée d'un récit : certaines histoires de personnages terrorisants servent trop bien l'enseignement des parents qui ne veulent pas que leurs enfants sortent le soir...

Mais le conte est aussi rêve : trouver un trésor, épouser un prince, s'assurer le bien-être (plats qui se couvrent de mets et promettent la

subsistance pour toute la vie, promesse miraculeuse dans un monde ou régnait souvent la famine).

Il est rire : il se moque de l'homme en général *(Les mains les plus blanches)* ou, ce qui est plus fréquent, du voisin, accusé généralement de bêtise *(Le voyage à Paris)*.

Il propose des modèles et, rendant compte des valeurs, des craintes et des aspirations, il reconstitue le monde à sa façon.

Évelyne Brisou-Pellen

TABLE DES MATIÈRES

ISBN 2-86726-811-7
Imprimerie Hérissey à Évreux - N° 65947
Dépôt légal : 2e semestre 1994